人を動かす！
実戦ビジネス
日本語会話
【上級】

宮崎道子 [監修]

瀬川由美・紙谷幸子・北村貞幸 [著]

スリーエーネットワーク

© 2008 by SEGAWA Yumi, KAMIYA Sachiko and KITAMURA Sadayuki

All rights reserved. No part of this publication may be reproduced, stored in a retrieval system, or transmitted in any form or by any means, electronic, mechanical, photocopying, recording, or otherwise, without the prior written permission of the Publisher.

Published by 3A Corporation.
Trusty Kojimachi Bldg., 2F, 4, Kojimachi 3-Chome, Chiyoda-ku, Tokyo 102-0083, Japan

ISBN 978-4-88319-470-4 C0081

First published 2008
Printed in Japan

はじめに

人を動かすコミュニケーション力を！

　近年、日本語を使ってビジネスを行う外国人も増え、それとともに学習者が身につけたいと考える日本語のレベルも、以前に比べて高くなってきている。

　日本人とビジネスを行う彼らにとって、日本語学習の目的は、ビジネスを円滑かつ有利に進めることである。

　このような観点から見ると、たとえ語彙力や文法力があっても、ビジネス会話においては、「あいづちが効果的に打てていない」「前置きを言わずにいきなり用件を切り出す」「言いよどみを含め、文末が不自然である」「反対や断りの場面でも、賛成するときと同じ抑揚・スピードで話してしまう」「婉曲表現がうまく使えていない」など、コミュニケーションにかかわる点で、彼らが学ぶべきことはたくさんある。

　ビジネスは相手あってのものである。ビジネス上の目的を達成するためには、実際に人を動かすことが重要である。そのためには、状況や目的、理由、方法などを誤解や失礼のないよう説明した上で、相手と「気持ちの共有、共感」ができるような会話力が求められる。

　本書は、そうした力が必要とされる「アポイントメント、業務引き継ぎ、交渉、苦情対応、トラブル処理、謝絶、インタビュー・取材、議論、プレゼンテーション」の場面で、様々なビジネスの分野に共通する重要表現を徹底した口頭練習とロールプレイによって身につけ、最終的には自分で会話を展開していく力を養成するためのものである。

　本書の作成にあたっては、スリーエーネットワークの佐野智子さん、田中綾子さんに貴重な助言とご尽力をいただいた。心から感謝する。

2008年7月
著者一同

本書の使い方

【本書の対象・目的】

　本書は、日本語でビジネス活動を行っている上級レベルの学習者を対象とした、実戦的な会話習得のためのテキストである。

【本書の特徴】

・本書は、あいづちや言いよどみ、抑揚、スピードなどを意識しながら、様々な表現が体になじむまで繰り返し声に出して練習することによって、最終的には自分の場面で同様の会話がスムーズにできるようになることを目標としている。そのため、会話例にはあいづちや言いよどみ「……」を正確に載せて、自然な会話になるよう配慮した。

・本書は、どの課からでも始められるようになっているので、興味や必要度に応じて課を選ぶことができる。ただし、後半になるほど語彙・表現のレベルが上がる。本書は教師の指導のもとで利用することが理想的だが、ふりがながつけてあるので自分で辞書を引き、自習もできるようになっている。

【本書の構成】

　本書は、①本冊、②別冊、③CDから成る。

①本冊

　本冊は11課で構成され、各課は「課題1～5」に分かれている。具体的な内容は以下のとおりである。

課題1 ロールプレイにチャレンジ

・各課題の内容を学習する前に、現時点の日本語力で、まずロールプレイを行ってみる練習。
・冒頭に場面や状況が提示され、話者の立場の上下が不等号（または等号）の記号で示されている。

課題2 戦略会話に沿ってスムーズに話す

- 「課題2」は、会話のまとまりごとに、複数の「戦略会話」に分かれている。それぞれの「戦略会話」には三つの選択肢があり、一つ目の選択肢が「課題1」の会話例（＝「課題3」）となっている。
- 会話内の「→太字」は、その会話の機能表現を表す。重要なものは巻末にまとめてある。
- ＜練習＞では、ビジネス会話の中で注意が必要な文法項目や表現を問題形式で学ぶ。その解答と解説は「ここがポイント！」に簡潔にまとめてある。
- ＜応用練習＞では、学習者が自分に合った場面で同様の会話を練習する。

課題3 戦略会話を通して話す

- 「課題2」の戦略会話を通して話す練習。この「課題3」は「課題1」の会話例になっている。
- ＜応用練習＞では、学習者が自分に合った場面で同様の会話を練習する。

課題4 実戦会話　以下の流れに沿って会話する

- 「課題1」と同様の流れで異なる場面のロールプレイを行う練習。

課題5 評価する

- 「課題4」を10項目についてA・Bの2段階で評価する。

②別冊

「課題3」と「課題4」の会話例が収録されている。忙しい学習者が通勤時間や昼休みなどの空き時間を利用して練習するためのものである。CDとともに持ち歩き、復習や定着練習（リピート練習やシャドウイング練習）に役立ててほしい。

③CD

「課題3」（＝「課題2」の戦略会話の一つ目の選択肢による会話）と「課題4」の会話例が収録されている。※トラック79は「課題2」には収録されていない。

【学習時間】

学習者の人数やレベルにもよるが、1課をプライベートレッスンの場合6時間、クラス授業の場合10時間で学習することを想定している。

【効果的な学習の進め方】

課題1　ロールプレイにチャレンジ

1．ロールプレイの指示を読んで、内容を確認し、わからない言葉は調べる。
2．ロールプレイの指示に沿って全体の会話を作り、どこがうまく言えなかったかメモをしておく。可能であれば、会話を録音する。クラス授業の場合は、ペアごとにクラスで発表し、どこがうまく言えなかったかをクラスで確認しておく。

課題2　戦略会話に沿ってスムーズに話す

1．CDを聞いて確認する。
2．各戦略会話の一つ目の選択肢で会話を読み、「課題1」で話した会話と、どこが違うか確認する。録音したものがあれば、それを聞きながら、確認するとよい。
3．あいづちや言いよどみ、抑揚やスピードがCDの音声と同じになるように、CDを聞きながら、一つ目の選択肢で練習する。その後、残りの二つの選択肢でそれぞれ練習する。暗記してできるようになるまで繰り返す。
4．＜練習＞を解く。「ここがポイント！」を読んで、答えを確認する。その後で声に出してもう一度問題文を読み、すらすら言えるようになるまで練習する。
5．＜応用練習＞を考える。戦略会話に沿って、自分の場面でスクリプトを作成する。スクリプトを声に出して繰り返し練習する。

課題3　戦略会話を通して話す

1．CDを通して聞く。
2．あいづちや言いよどみ、抑揚やスピードを意識しながら、すらすら言えるようになるまで声に出して何度も練習する。
3．「課題1」のロールプレイの指示をもう一度見る。ロールプレイの指示だけで、「課題3」の会話が作れるように練習する。
4．「課題2」の＜応用練習＞で作成したスクリプトを初めから通して会話をする。あいづちや言いよどみ、抑揚やスピードがCDの音声と同じになるまで、繰り返し練習する。暗記できるとよい。

課題4　実戦会話

1．ロールプレイの指示を読んで、内容を確認し、わからない言葉は調べる。
2．指示に沿ってペアで会話を作り、クラスで発表する。可能であれば、録音する。指示だけを見て会話ができるとよいが、難しい場合は、会話例を暗記して話してもよい。

課題5　評価する

1．「課題4」で発表した会話を評価項目に従ってクラスで評価し合う。
2．クラス全体、あるいは各自で「課題4」の会話例を確認し、ロールプレイの指示だけで、会話が作れるようになるまで練習する。

【その他】

・漢字のふりがなは、原則として日本語能力試験1級以上のレベルの漢字と語彙につけてある。それ以下のレベルでも、ビジネス特有の語彙にはふりがなをつけている場合がある。

・巻末に機能表現をまとめた。学習者の場面にあった会話を作る際に役立ててほしい。

目　次

はじめに iii
本書の使い方 iv

第1課　アポイントメント

課題1　ロールプレイにチャレンジ 2
課題2　戦略会話に沿ってスムーズに話す
　　戦略会話1　電話でのあいさつ 4
　　　　＜練習＞　縮約形の使い方「〜ています → 〜てます」
　　　　　　　　　「〜しておいて → 〜しといて」
　　戦略会話2　事情説明 → 面会の申し入れ 6
　　　　＜練習1＞　前置きの意味
　　　　＜練習2＞　よく使われる前置きの表現
　　　　　　　　　「〜んですが」と「〜ですが／ますが」
　　　　＜練習3＞　「〜かたがた」と「〜がてら」の使い方
　　戦略会話3　面会の日時について相手の都合を聞く 9
　　　　＜練習＞　「けっこうです」はYES？ NO？
　　戦略会話4　日時の確認 → 終わりのあいさつ 11
課題3　戦略会話1〜4を通して話す 12
課題4　実戦会話　以下の流れに沿って会話する 14
課題5　評価する 17

第2課　業務引き継ぎ

課題1　ロールプレイにチャレンジ 18
課題2　戦略会話に沿ってスムーズに話す
　　戦略会話1　切り出す → 事情説明 → 引き継ぎを指示する 20
　　戦略会話2-a　仕事の内容を順に指示する①
　　　　　　　　↔ あいづちを打ちながら、確認・質問し、指示を仰ぐ 21
　　　　＜練習＞　「名詞＋のほう」の使い方

戦略会話2-b　仕事の内容を順に指示する②
　　　　　　↔ あいづちを打ちながら、確認・質問し、指示を仰ぐ …… 23
　　＜練習＞　　情報を並べる接続詞の使い方

戦略会話3　緊急時の連絡先を指示する → 質問の有無を確認する
　　　　　　→ 話を切り上げる …………………………………………… 25
　　＜練習＞　　話題の中の「こ・そ・あ」の使い方

課題3 戦略会話1～3を通して話す ……………………………………………… 27
課題4 実戦会話　以下の流れに沿って会話する ……………………………… 29
課題5 評価する ………………………………………………………………… 33

第3課　面会して交渉する

課題1 ロールプレイにチャレンジ …………………………………………… 34

課題2 戦略会話に沿ってスムーズに話す

戦略会話1　訪問のあいさつ → 世間話 ……………………………………… 36
　　＜練習1＞　世間話の意味
　　＜練習2＞　「そうですか」と「そうですね」の意味

戦略会話2　本題の切り出し → 交渉（お互いの立場を主張する）………… 39
　　＜練習1＞　敬語の使い方①「お／ご 動詞 する（いたします）」
　　＜練習2＞　敬語の使い方②「（ご）動詞使役形 ていただく」

戦略会話3　相手の意向を探りながら譲歩する ……………………………… 41

戦略会話4　返事を保留する → 終わりのあいさつ ………………………… 42

課題3 戦略会話1～4を通して話す ……………………………………………… 43
課題4 実戦会話　以下の流れに沿って会話する ……………………………… 45
課題5 評価する ………………………………………………………………… 49

第4課　個人客からの苦情（1）

課題1 ロールプレイにチャレンジ …………………………………………… 50

課題2 戦略会話に沿ってスムーズに話す

戦略会話1　電話で苦情を受ける ……………………………………………… 52
　　＜練習1＞　敬語の使い方③「お／ご 動詞（になって）ください」
　　＜練習2＞　「～んですから」の使い方

戦略会話2	わびながら自社の立場を説明する	54
	<練習> 「こと」と「の」	
戦略会話3	回答を保留(ほりゅう)する	56

■ 課題3　戦略会話1〜3を通して話す ……………………………………………… 57
■ 課題4　実戦会話　以下の流れに沿って会話する ……………………………… 59
■ 課題5　評価する …………………………………………………………………… 61

第5課　個人客からの苦情（2）上司に引(ひ)き継(つ)ぐ

■ 課題1　ロールプレイにチャレンジ ……………………………………………… 62
■ 課題2　戦略会話に沿ってスムーズに話す

戦略会話1	苦情を言ってきた客を上司に引(ひ)き継(つ)ぐ	64
	<練習> 「動詞 なくて」と「動詞 ないで」	
戦略会話2	電話でのあいさつ → わびながら自社の立場を説明する	66
戦略会話3	善後策(ぜんごさく)を提示(ていじ)し、理解を求める → 終わりのあいさつ	67
	<練習1> 電話でよく使う前置(まえお)き	
	<練習2> 「なん〜」を使った前置(まえお)き	

■ 課題3　戦略会話1〜3を通して話す ……………………………………………… 70
■ 課題4　実戦会話　以下の流れに沿って会話する ……………………………… 72
■ 課題5　評価する …………………………………………………………………… 74

第6課　トラブル処理（1）

■ 課題1　ロールプレイにチャレンジ ……………………………………………… 75
■ 課題2　戦略会話に沿ってスムーズに話す

戦略会話1	電話でのあいさつ → トラブルの発生	77
戦略会話2	相手に配慮(はいりょ)しながらトラブルの内容を尋(たず)ねる → 問題の詳細(しょうさい)を把握(はあく)し、速(すみ)やかに対応(たいおう)する	78
	<練習> 「こんな・そんな・あんな・どんな」の丁寧(ていねい)な言い方	
戦略会話3	おわび → 困っている状況を聞く	80
戦略会話4	速(すみ)やかな解決を約束する → 終わりのあいさつ	81
	<練習1> 「思われる」「考えられる」「見られる」	
	<練習2> 「とりあえず」と「一応」の使い方	

課題3	戦略会話1～4を通して話す	84
課題4	実戦会話　以下の流れに沿って会話する	86
課題5	評価する	90

第7課　トラブル処理（2）上司への報告

課題1	ロールプレイにチャレンジ	91
課題2	戦略会話に沿ってスムーズに話す	
戦略会話1	切り出す → 上司に報告する	93
	＜練習＞　体を使った表現「腹」「頭」「おしり」	
戦略会話2	上司から注意・指示を受ける	96
	＜練習1＞　情報を補足する接続詞の使い方 「なお」「ただし」「ただ」	
	＜練習2＞　理由を表す表現「～だけに」	
課題3	戦略会話1、2を通して話す	99
課題4	実戦会話　以下の流れに沿って会話する	100
課題5	評価する	103

第8課　謝絶する

課題1	ロールプレイにチャレンジ	104
課題2	戦略会話に沿ってスムーズに話す	
戦略会話1	訪問のあいさつ → 本題を切り出し、謝絶の事情説明をする	106
	＜練習＞　「名詞＋ありき」の使い方	
戦略会話2	相手に配慮しながら今回の経緯について話す	108
	＜練習＞　「多い」と「多くの」の使い方	
戦略会話3	今後のつきあいを踏まえたやりとり → 終わりのあいさつ	110
	＜練習1＞　「という」の使い方①「という＋名詞」	
	＜練習2＞　「という」の使い方②「ということになる／する」	
課題3	戦略会話1～3を通して話す	113
課題4	実戦会話　以下の流れに沿って会話する	115
課題5	評価する	119

第9課　インタビュー・取材

- **課題1** ロールプレイにチャレンジ ………………………………………………… 120
- **課題2** 戦略会話に沿ってスムーズに話す
  - 戦略会話1　訪問のあいさつ → 名刺交換 …………………………………… 122
  - 戦略会話2　インタビューの目的
    → 相手に賛同しながら質問のための雰囲気を作る ………… 123
    <練習>　名詞化された表現
  - 戦略会話3-a　質問する → 相手の回答を更に発展させて質問する ………… 125
  - 戦略会話3-b　次の質問をする
    → 相手の回答について詳細な説明を求める ……………… 126
    <練習>　あいづちの使い方
  - 戦略会話4　相手から大切な情報を聞き出す ……………………………… 128
    <練習>　敬語の使い方④「～いただけないでしょうか」と
    「いただけないんでしょうか」
  - 戦略会話5　話をまとめる → 終わりのあいさつ ………………………… 130
- **課題3** 戦略会話1～5を通して話す ……………………………………………… 131
- **課題4** 実戦会話　以下の流れに沿って会話する ……………………………… 133
- **課題5** 評価する ……………………………………………………………………… 137

第10課　議論する

- **課題1** ロールプレイにチャレンジ ………………………………………………… 138
- **課題2** 戦略会話に沿ってスムーズに話す
  - 戦略会話1　提案者が案件を説明し、見解を述べる ……………………… 140
    <練習>　複合動詞「動詞＋ぬく」と「動詞＋きる」
  - 戦略会話2-a　議論する ～質問の形で反対の意を表す
    → 婉曲表現を使って質問に答える～ ……………………… 142
    <練習>　「～という＋名詞」と「～といった＋名詞」の使い方
  - 戦略会話2-b　議論する ～意見をサポートする
    → 提案者が資料を使って質問に答える～ ………………… 144
    <練習>　「よね」の使い方
  - 戦略会話3　次回の議論に持ち越す ………………………………………… 146

課題3	戦略会話1～3を通して話す	147
課題4	実戦会話　以下の流れに沿って会話する	149
課題5	評価する	153

第11課　プレゼンテーション

| 課題1 | ロールプレイにチャレンジ | 154 |
| 課題2 | 戦略会話に沿ってスムーズに話す | |

戦略会話1	序論　～本論を紹介する～	
戦略会話1-a	あいさつ	157
戦略会話1-a [補足]	資料を訂正する	158
戦略会話1-b	背景説明	159
	＜練習1＞　グラフ説明の表現	
	＜練習2＞　プレゼンや会議で使われる表現	
戦略会話1-c	提案	162
	＜練習＞　「そこで」の使い方	
戦略会話2	本論～目次に沿って詳細に説明する～	164
戦略会話3	結論　～本論を要約する～	165
戦略会話4	質疑応答 → 終わりのあいさつ	166
	＜練習1＞　質問の答え方①	
	＜練習2＞　質問の答え方②	

課題3	戦略会話1～4を通して話す	169
課題4	実戦会話　以下の流れに沿って会話する	171
課題5	評価する	176

機能表現 ... 177

第1課
アポイントメント

電話でお客様と話す場合、表情や身振りでのコミュニケーションができないだけに、丁寧な言葉遣いはもちろん、用件を述べる前に必要な前置きやあいづちがより重要になってきます。この課では相手が気持ちよく面会に応じてくれるような表現と戦略を学習します。

課題1 ロールプレイにチャレンジ

製造メーカーD&Lの営業担当者のコウさんは、自社の商品を紹介するために、初めてABC物産営業1部の平田さんに電話をかけ、面会の約束を取りつける。

立場：コウ(D&L・営業担当者) ＜ 平田(ABC物産営業1部・客)

1. 電話でのあいさつ
    平田：自社にかかってきた電話に出る。
    コウ：初めて電話をかけたことを告げ、社名と自分の名前を言って平田を呼び出す。
    平田：自分だと言う。
    コウ：改めてあいさつをし、再度社名と自分の名前を言う。
    　　　紹介者（日本商事の横山）から平田を紹介してもらって、電話をしたと言う。
    　　　今話してもいいか確認する。
    平田：返事をする。紹介者からコウのことは聞いていると伝える。
    コウ：恐縮してあいさつする。

2. 事情説明 → 面会の申し入れ
    コウ：東京支社を開設し、日本向けの独自の商品を展開していきたいと言う。
    平田：あいづちを打つ。
    コウ：平田の会社にあいさつに行き、商品の紹介をしたいと述べ、面会を申し入れる。
    平田：了承する。
    コウ：礼を言う。

3. 面会の日時について相手の都合を聞く

コウ：都合を尋ねる。

平田：来週木曜日はどうかと尋ねる。

コウ：返事をし、いつでもいいと答える。時間はどうするか尋ねる。

平田：午後2時でいいか聞く。

コウ：了承する。

4. 日時の確認 → 終わりのあいさつ

コウ：曜日と時間を確認し、どこへ行けばいいか聞く。

平田：自分の会社の場所を知っているか聞く。

コウ：東京駅のサウスビルかと確認する。

平田：その1階の受付に来てほしいと言う。

コウ：了承し、日にち（来週23日）・曜日・時間と場所を確認する。

平田：了承し、待っていると言う。

コウ：礼を言って、終わりのあいさつをする。

平田：返す。

課題2 戦略 会話に沿ってスムーズに話す

戦略会話1　電話でのあいさつ

［初めての相手と］　立場：B ＜ A（客）　🎧1

A1：はい、（　自社名　）でございます。
B1：＿＿＿＿＿①＿＿＿＿＿。私、（　自社名　）の（　自分の名前　）と申しますが、
　　（　相手の名前　）様はいらっしゃいますでしょうか。
A2：私ですが。
B2：初めまして。私、（　自社名　）の（　自分の名前　）と申します。
　　このたび、（　紹介者の社名　）の（　紹介者の名前　）様から
　　（　相手の名前　）様をご紹介いただきまして、＿＿＿＿＿②＿＿＿＿＿。
　　あの、今、＿＿＿＿＿③＿＿＿＿＿。→ 相手の都合を聞く
A3：ええ。（　紹介者の名前　）さんから＿＿＿＿＿④＿＿＿＿＿。
B3：恐れ入ります。どうぞよろしくお願いいたします。

下の表現を使って戦略会話を完成させなさい。

①初めてお電話させていただきます／初めてお電話いたします／初めてお電話します
②お電話させていただきました／お電話いたしました／お電話しました
③お話ししてもよろしいでしょうか／お話しさせていただいてもよろしいでしょうか／
　よろしいでしょうか
④お話は伺ってますよ／お話はお聞きしています／お話は聞いてますよ

[親しい客と]　立場：A（客）　＝　B

A：はい、（　自社名　）でございます。
B：（　自社名　）の（　自分の名前　）と申しますが……
A：どうも（　相手の名前　）さん、（　自分の名前　）です。
　　いつもお世話になっております。
B：こちらこそお世話になっております。
　　あの、今ちょっと＿＿＿＿＿①＿＿＿＿＿。→ **相手の都合を聞く**
A：ええ、どうぞ。

下の表現を使って戦略会話を完成させなさい。

①お話ししてもいいでしょうか／よろしいでしょうか／よろしいですか

＜練習＞　縮約形の使い方「～ています → ～てます」「～しておいて → ～しといて」

次の会話文の下線部分を縮約形にして自然に話しなさい。

1) 立場：a（取引先）　＜　b（自社）
　　a：先日、担当の林様を通じてお渡ししたサンプルの件なんですが……
　　b：ああ、それなら<u>伺っていますよ</u>。

2) 立場：a（部下）　＜　b（上司）
　　a：来期の予算の件なんですが、研修生受け入れもありますので……
　　b：そうだな……じゃあ、前年比10％増で<u>計上しておいて</u>もらえますか。

3) 同僚に
　　a：これから課長に同行を頼まれて出かけるんだけど、支社からわたしあてに連絡が入ることに<u>なっているから</u>、伝言聞いて<u>処理しておいて</u>もらえる？

> ● **ここがポイント**
> 縮約形は相手にくだけた印象を与えるので、親しい相手や立場が下の人と話す場合によく使われる。相手に応じて使い分けられるように練習しよう。
> 【解答】1）伺ってますよ　2）計上しといて　3）なってるから・処理しといて

戦略会話2　事情説明 → 面会の申し入れ

[初めての相手と]　　立場：B ＜ A（客）　🎧2

B3：実は、私ども、＿＿＿＿＿①＿＿＿＿＿。→ 事情を説明する

A4：そうですか。

B4：はい。つきましては、ごあいさつかたがた、＿＿＿＿＿②＿＿＿＿＿
　　と思いまして……→ 用件を述べる
　　お忙しいところ＿＿＿＿＿③＿＿＿＿＿。→ 面会を申し入れる

A5：ええ、＿＿＿＿＿④＿＿＿＿＿。

B5：ありがとうございます。

下の表現を使って戦略会話を完成させなさい。

---

①このほど東京支社を開設いたしまして、日本のお客様に向けて、独自の商品を展開してまいりたいと考えております／
来月から新商品を発売することになりまして、新たな販売ルートを開拓したいと考えております／
企業情報をはじめとする各種ビジネス情報のご提供をさせていただいております

②私どもで扱っております商品について、ご紹介させていただければ／
私どもの商品をご説明させていただければ／
私どものサービス内容をご案内させていただければ

③恐縮ですが、お時間をいただけないでしょうか／
申し訳ございませんが、お時間をいただけないでしょうか／
大変恐縮ですが、お時間をちょうだいできませんでしょうか

④いいですよ／構いませんよ／けっこうですよ

[親しい客と]　　立場：A（客）　＝　B

B：あの、先日＿＿＿＿①＿＿＿＿なんですが、＿＿＿＿②＿＿＿＿ので、
　　＿＿＿＿③＿＿＿＿と思いまして。→ 事情を説明し、用件を述べる

A：わかりました。

下の表現を使って戦略会話を完成させなさい。

---
①ご指摘いただいた見積もりの件／お持ちした企画の件／
　ご覧いただいたサンプルの件
②再検討してみました／修正したものができました／
　ご指摘の点を具体的に反映させてみました
③もう一度ご検討いただきたい／もう一度ご覧いただきたい／
　ぜひご確認いただきたい

＜練習1＞　前置きの意味

例のように適切な前置きを考えなさい。

例）お忙しいところ申し訳ありませんが、10分ほどお時間をいただけないでしょうか。

1）（　　　　　）、今度の土曜日、一緒にゴルフに行きませんか。
2）（　　　　　）、来週有給休暇を取らせていただきたいんですが……
3）（　　　　　）、弊社の新製品について、一度ご説明させていただけないかと思いまして……
4）（　　　　　）、弊社のイベントブースにもぜひお立ち寄りください。
5）（　　　　　）、今回は見合わせたいと思いまして……

> **❗ ここがポイント　～前置きの重要性～**
>
> 相手に頼むときや断るとき、また時間をとってもらうようなことを言う前には必ず前置きが必要になる。それは相手を気遣い、負担を感じさせないようにする配慮でもある。そうした前置きをつけずに要件をいきなり切り出すと、たとえ敬語がきちんと使えていても、相手に不快な印象を与えるので注意しよう。
>
> 【解答例】1）よろしければ　2）申し訳ないんですが　3）できましたら
> 　　　　 4）あの、もしお時間がございましたら　5）せっかくのお話ですが

課題2：戦略会話に沿ってスムーズに話す

<練習2> よく使われる前置きの表現「〜んですが」と「〜ですが／ますが」

「〜んですが」の使い方が適切でない文を選びなさい。
1) あの、先日いただいたお見積もりなんですが、お伺いしたいことがありまして……
2) 私、ディック社のターナーなんですが、村田様いらっしゃいますか。
3) 今回の展示会には当社も出展しているんですが、よかったら見にいらしてください。

> **ここがポイント　〜「〜んですが」に注意〜**
> 「〜んですが」には説明を与える用法があり、質問・依頼・断り・謝罪などの前置きを述べる表現としてよく使われる。あえて説明の必要のないときに使うと、押しつけがましく聞こえることがあるので、注意が必要である。
>
> 【解答】2)

<練習3> 「〜かたがた」と「〜がてら」の使い方

適切なほうを選びなさい。ただし、両方適切な場合もあります。
1) 出張（　かたがた・がてら　）京都を少し見て帰ろう。
2) お見舞い（　かたがた・がてら　）異動のご報告に参りました。
3) 買い物（　かたがた・がてら　）散歩でもしてこよう。
4) おわび（　かたがた・がてら　）今回の事故の説明を、と思いまして。
5) ［手紙で］お礼（　かたがた・がてら　）ご返事まで。

> **ここがポイント**
> 「がてら」と「かたがた」は意味がよく似ているが、「〜がてら…」には「〜」の動作をする人の都合のいい機会に「ついでに…もする」という意味合いが出る。したがってビジネスの場面で、相手に対して「お礼がてら」「あいさつがてら」などのように、「お礼・あいさつ・おわび・お見舞い」などと一緒に使うのは失礼に聞こえる。この場合は「かたがた」を使う。
>
> 【解答】1) かたがた・がてら　2) かたがた　3) かたがた・がてら　4) かたがた　5) かたがた

<応用練習>

前置きの表現を使いながら、自分の場面で戦略会話1、2を続けて作りなさい。

戦略会話3　面会の日時について相手の都合を聞く

[初めての相手と]　　立場：B ＜ A（客）　🎧3

B5：あの、＿＿＿＿＿①＿＿＿＿＿。→ 相手の都合を聞く

A6：そうですね……（　日にち・曜日　）はどうですか。→ 日にち・曜日を提示する

B6：ええ、私のほうはいつでも＿＿＿＿＿②＿＿＿＿＿。→ 相手に合わせる

　　　で、お時間はいかがいたしましょうか。

A7：そうですね。では、（　時間　）でよろしいでしょうか。

B7：＿＿＿＿＿③＿＿＿＿＿。→ 承知する

下の表現を使って戦略会話を完成させなさい。

> ①ご都合はいつがよろしいでしょうか／ご都合はいかがでしょうか／
> 　ご都合のよろしいお日にちをお聞かせ願えますでしょうか
> ②けっこうでございます／構いません／大丈夫です
> ③承知いたしました／かしこまりました／承知しました

[親しい客と]　　立場：A（客）＝ B

A：（　日にち・曜日　）はいかがですか。

B：申し訳ありません。（　提示された日にち・曜日　）はちょっと……

　　　＿＿＿＿＿①＿＿＿＿＿まして。→ 都合が悪い理由を述べる

　　　＿＿＿＿＿②＿＿＿＿＿以降でしたら、いつでも＿＿＿＿＿③＿＿＿＿＿んですが……

A：そうですか。では、（　日にち・曜日　）の（　時間　）はいかがでしょう。

　　→ 新たに日時を指定する

B：＿＿＿＿＿④＿＿＿＿＿。→ 承知する

下の表現を使って戦略会話を完成させなさい。

> ①予定が入っており／出張があり／つまって
> ②明後日／週明け／来週
> ③構わない／いい／大丈夫な
> ④わかりました／構いませんよ／承知しました

課題2：戦略会話に沿ってスムーズに話す

<練習>「けっこうです」はYES？ NO？

次の「けっこうです」はどちらの意味ですか。
1) a：ここで写真を撮ってもいいですか。
　　b：ええ、けっこうですよ。（　YES・NO　）
2) a：もう一杯いかがですか。
　　b：いや、けっこうです。（　YES・NO　）
3) [電話で突然]
　　a：投資にご興味(きょうみ)はありませんか？　お勧めの商品がございまして、
　　　ぜひご紹介……
　　b：けっこうです。（　YES・NO　）
4) a：こちらがご注文いただいた商品です。こちらでよろしいでしょうか。
　　b：[商品を確認して] けっこうです。（　YES・NO　）
5) a：ご質問がなければ、以上で終わらせていただきますが、よろしいでしょうか。
　　b：けっこうです。（　YES・NO　）

> **❗ ここがポイント！　～「けっこうです」の意味～**
>
> YES（了解(りょうかい)）①「はい、ええ」などと一緒に使われるとき　1)
> 　　　　　　　　②相手に確認を求められているとき　4)・5)
> NO（拒否(きょひ)）①「いえ、いや、もう」などと一緒に使われるとき　2)
> 　　　　　　　　②相手に何かを勧(すす)められているとき　3)
> 　　　　　　　【解答】1) YES　2) NO　3) NO　4) YES　5) YES

戦略会話4　日時の確認 → 終わりのあいさつ

[初めての相手と]　　立場：B ＜ A（客）　🎧4

B7：（　日にち・曜日　）の（　時間　）ですね。→ 日時を確認する
　　　で、どちらに伺えばよろしいでしょうか。
A8：私どもの場所はご存知ですか。
B8：はい、＿＿＿＿＿①＿＿＿＿＿ですね。
A9：ええ。そこの＿＿＿＿②＿＿＿＿に＿＿＿＿③＿＿＿＿か。
B9：（　承知する　）。では、（　日にち・曜日　）の（　時間　）、（　約束の場所　）にお伺い
　　　するということで、よろしくお願いいたします。→ 日時・場所を確認する
A10：ええ、お待ちしています。
B10：ありがとうございました。では、失礼いたします。
A11：失礼します。（電話を切る）

下の表現を使って戦略会話を完成させなさい。

---
①東京駅のサウスビル／山の手タワーのA棟のほう／Tホテルの向かい
②1階の受付／9階の営業部／1階ロビー
③お越しいただけます／いらしていただけます／おいでいただけます

[親しい客と]　　立場：A（客）＝ B

B：では、（　日にち・曜日　）の（　時間　）ということでよろしくお願いします。
　　→ 日時を確認する
A：お待ちしています。
B：では、失礼します。
A：失礼します。

＜応用練習＞

「けっこうです」の使い方に注意しながら、自分の場面で戦略会話3、4を続けて作りなさい。

課題2：戦略会話に沿ってスムーズに話す

課題3 戦略 会話1～4を通して話す

🎧**1**

平田：はい、ABC物産営業1部でございます。

コウ：初めてお電話させていただきます。私、D&Lのコウと申しますが、平田様はいらっしゃいますでしょうか。

平田：私ですが。

コウ：初めまして。私、D&Lのコウと申します。このたび、日本商事の横山様から平田様をご紹介いただきまして、お電話させていただきました。あの、今、お話ししてもよろしいでしょうか。

平田：ええ。横山さんからお話は伺ってますよ。

コウ：恐れ入ります。どうぞよろしくお願いいたします。

🎧**2**

コウ：実は、私ども、このほど東京支社を開設いたしまして、日本のお客様に向けて、独自の商品を展開してまいりたいと考えております。

平田：そうですか。

コウ：はい。つきましては、ごあいさつかたがた、私どもで扱っております商品について、ご紹介させていただければと思いまして……お忙しいところ恐縮ですが、お時間をいただけないでしょうか。

平田：ええ、いいですよ。

コウ：ありがとうございます。

🎧**3**

コウ：あの、ご都合はいつがよろしいでしょうか。

平田：そうですね……来週の木曜日はどうですか。

コウ：ええ、私のほうはいつでもけっこうでございます。で、お時間はいかがいたしましょうか。

平田：そうですね。では、午後2時でよろしいでしょうか。

コウ：承知いたしました。

🎧4
コウ：来週の木曜日の午後2時ですね。で、どちらに伺えばよろしいでしょうか。
平田：私どもの場所はご存知(ぞんじ)ですか。
コウ：はい、東京駅のサウスビルですね。
平田：ええ。そこの1階の受付にお越しいただけますか。
コウ：かしこまりました。では、来週23日木曜日の午後2時、サウスビル1階受付にお伺いするということで、よろしくお願いいたします。
平田：ええ、お待ちしています。
コウ：ありがとうございました。では、失礼いたします。
平田：失礼します。（電話を切る）

＜応用練習＞

自分の場面で戦略(せんりゃく)会話1〜4を通して話しなさい。

課題4 実戦会話　以下の流れに沿って会話する

ユニ電子のローランさんは新商品のカタログを紹介するために、懇意にしている取引先の北柴電機営業部の大木さんに電話して面会の約束を取りつける。

立場：ローラン（ユニ電子・営業担当者）　＜　大木（北柴電機営業部・客）

1．電話でのあいさつ
　　大木：自社にかかってきた電話に出る。
　ローラン：社名と自分の名前を言う。
　　大木：自分の名前を言う。あいさつをする。
　ローラン：あいさつを返す。今話してもいいか確認する。
　　大木：了承する。

2．事情説明 → 面会の申し入れ
　ローラン：先日話した新商品のカタログができたので持っていきたいと言う。
　　大木：あいづちを打ち、礼を言う。

3．面会の日時について相手の都合を聞く
　　大木：明日の午後はどうかと提案する。
　ローラン：明日の午後は予定が入っている。あさって以降ならいつでもいいと言う。
　　大木：あさってから出張で1週間いないと言う。
　ローラン：あいづちを打つ。
　　大木：来週水曜日に戻るので、それ以降でいいか聞く。
　ローラン：大木が15日水曜日に戻ることを確認し、自分の予定を確かめる。
　　　　　金曜日でどうかと尋ねる。
　　大木：了承し、来週金曜日の午後1時半を提案する。
　ローラン：了承する。

4．日時の確認 → 終わりのあいさつ

　　ローラン：日にちと曜日、時間を確認する。
　　　　大木：了承(りょうしょう)し、待っていると言う。
　　ローラン：終わりのあいさつをする。
　　　　大木：返す。

<課題4　会話例>

🎧5
大木：はい、北柴電機営業部でございます。
ローラン：私、ユニ電子のローランと申しますが……
大木：どうもローランさん、大木です。いつもお世話になっております。
ローラン：こちらこそお世話になっております。あの、今ちょっとお話ししてもよろしいでしょうか。
大木：ええ、どうぞ。

🎧6
ローラン：あの、先日お話しさせていただきました新商品の件なんですが、カタログができましたので、お持ちしたいと思いまして。
大木：そうですか、ありがとうございます。

🎧7
大木：じゃあ、明日の午後はいかがですか。
ローラン：あ、申し訳ありません。明日の午後はちょっと……予定が入ってしまってまして……今週はあさって以降でしたらいつでも構わないんですが……
大木：そうですか。……あの、実はあさってから1週間出張に出てしまうものですから……
ローラン：そうですか……
大木：戻りは来週の水曜になるんですが、それ以降でよろしければ……
ローラン：お戻りは15日の水曜日ですね……すみません、少々お待ちいただけますか。スケジュールを確認いたしますので……えーと、金曜日はいかがでしょうか。
大木：ええ、構いませんよ。では、来週金曜の午後1時半はいかがでしょう。
ローラン：はい、けっこうです。

🎧8
ローラン：では、17日金曜日の午後1時半にお伺いするということで、よろしくお願いします。
大木：わかりました。お待ちしています。
ローラン：では、失礼します。
大木：失礼します。

課題 5 評価する

以下の10項目について評価してみよう。
A：よい　　B：もう少し努力が必要（その理由）

1. 電話でのあいさつ
   【大木・ローラン】社名と自分の名前を丁寧に言っているか。あいさつは適切か。
   （　　）

   【ローラン】今話してもいいかと相手の都合を聞いているか。（　　）

2. 事情説明 → 面会の申し入れ
   【ローラン】何の件か切り出してから事情を説明しているか。敬語の使い方は適切か。
   （　　）

3. 面会の日時について相手の都合を聞く
   【大木】面会の日時について適切な表現を使って提案しているか。（　　）
   【ローラン】相手に配慮しながら、自分の都合のいい日にちを提示しているか。
   （　　）

   【大木・ローラン】あいづちを打ってから自分の事情を切り出し、適切な表現を使って日時を提示しているか。（　　）
   【大木】了承の言い方、時間の提示は適切か。（　　）

4. 日時の確認 → 終わりのあいさつ
   【ローラン】適切な表現を使って確認しているか。（　　）
   【大木・ローラン】終わりのあいさつは適切か。（　　）

● 全体を通して
   【大木・ローラン】全体の流れはスムーズか。（　　）

第2課
業務引き継ぎ

上司の出張や異動などで、仕事の引き継ぎを指示された場合、その指示にあいづちを打ちながら、わからない点についてタイミングよく聞き返して確認したり、その場でポイントを絞って簡潔に質問したり、指示を仰いだりできる会話力が必要です。この課では、そうした戦略と効果的な表現を学習します。

課題1　ロールプレイにチャレンジ

ある商社の営業部課長の室田さんは、来週から海外に出張するため、部下でチーフのブラウンさんに出張中の仕事について引き継ぎ事項を指示する。

立場：ブラウン(部下) ＜ 室田課長(上司)

1．切り出す→事情説明→引き継ぎを指示する

課長：ブラウンを呼ぶ。
ブラウン：返事をして、何かと聞く。
課長：来月の海外出張の予定が早くなって、来週行くことになったと言う。
ブラウン：あいづちを打ち、急だとコメントする。
課長：向こうの都合でそうなったと事情を補足し、留守中のことを頼みたいと言う。
ブラウン：返事をする。
課長：ここは適当でないからと、そばの広いテーブルに誘う。
ブラウン：返事をする。

2-a．仕事の内容を順に指示する①↔あいづちを打ちながら、確認・質問し、指示を仰ぐ

課長：仕事の内容①恒例の国際見本市協賛の件を頼むと言う。
ブラウン：返事をする。概要のほうはどうなっているか尋ねる。
課長：来週早々にフェスティバルの事務局から届くだろうから、条件をよく確認し、打ち合わせで決めた方向で協議書を上げておくよう指示する。
ブラウン：返事をする。何かあった場合はどうするか指示を仰ぐ。
課長：部長に相談するように指示する。
ブラウン：返事をする。

2-b. 仕事の内容を順に指示する②↔あいづちを打ちながら、確認・質問し、指示を仰ぐ

課長：仕事の内容②パーティーは部長に同行するよう指示する。

ブラウン：パーティーというのはフレンド商会の社長就任パーティーのことかと確認する。

課長：そうだと言い、14日のパーティーだと補足する。

ブラウン：返事をする。一つ聞いてもいいかと尋ねる。

課長：許可する。

ブラウン：エコ・フェスタ出展については何かあるかと聞く。

課長：思い出す。企画部の島田チーフなどに相談してみたほうがよさそうだと助言する。

ブラウン：返事をする。今日、島田チーフに話してみることを申し出る。

課長：了承し、念を押す。
仕事の内容③ほかにもいろいろ懸案事項があるので、出張先に毎日の報告をメールするよう頼む。

ブラウン：返事をする。

3. 緊急時の連絡先を指示する→質問の有無を確認する→話を切り上げる

ブラウン：緊急の場合、どうすればいいか指示を仰ぐ。

課長：携帯に連絡するように指示する。

ブラウン：返事をする。

課長：引き継ぐことは一応伝えたが、何かほかにあるか聞く。

ブラウン：ないと言う。

課長：話を終わりにする。

ブラウン：返す。

課題2 戦略会話に沿ってスムーズに話す

戦略会話1 切り出す→事情説明→引き継ぎを指示する

立場：B（部下） ＜ A（上司）

A1：（　部下の名前　）さん、ちょっといいですか。→話を切り出す
B1：はい、何でしょうか。
A2：実は、＿＿＿＿＿①＿＿＿＿＿ことになったんですよ。→**事情を説明する**
B2：そうですか。＿＿＿＿＿②＿＿＿＿＿。
A3：うん、＿＿＿＿＿③＿＿＿＿＿。
　　　それで、（　部下の名前　）さんに＿＿＿＿＿④＿＿＿＿＿と思って。
　　　→**仕事の引き継ぎを指示する**
B3：はい、わかりました。
A4：＿＿＿＿＿⑤＿＿＿＿＿から、＿＿＿＿＿⑥＿＿＿＿＿ましょうか。
B4：はい。

下の表現を使って戦略会話を完成させなさい。

---
①来月の海外出張が前倒しになって、来週行く／
　転勤の内示が出て、明日から２、３日引き継ぎで大阪支社に行く／
　ちょっと身内に不幸があって、明日あさってと休みをもらう
②ずいぶん急ですね／それは大変ですね／それは……
③向こうの都合でね／そうなんですよ／急なことでね
④留守中のことをお願いしたい／その間のわたしの仕事を頼みたい／
　その間のことを見てもらいたい
⑤ここじゃあ、なんだ／ここじゃ、狭い／ここでは、落ちつかない
⑥そちらの広いテーブルでやり／隣の会議室に行き／あちらに移り

＜応用練習＞

自分の場面で戦略会話1を作りなさい。

戦略会話 2-a　仕事の内容を順に指示する①↔あいづちを打ちながら、確認・質問し、指示を仰ぐ

立場：B（部下） ＜ A（上司）　🎧10

A5：まず、＿＿＿＿＿①＿＿＿＿＿をよろしくお願いします。→指示する

B5：（　返事をする　）。＿＿＿＿＿②＿＿＿＿＿か。

A6：＿＿＿＿＿③＿＿＿＿＿。
　　　＿＿＿＿＿④＿＿＿＿＿ておいてもらえますか。→指示する

B6：（　返事をする　）。
　　　＿＿＿＿＿⑤＿＿＿＿＿場合は＿＿＿＿＿⑥＿＿＿＿＿……→指示を仰ぐ

A7：その時は＿＿＿＿＿⑦＿＿＿＿＿てください。→指示する

B7：（　返事をする　）。

下の表現を使って戦略会話を完成させなさい。

①恒例の国際見本市協賛の件／フードフェスティバル出展の件／
　課長会の代理出席
②概要のほうはどうなっているんでしょう／
　具体的な情報はいつ入ってくるんでしょう／何か準備しておくことはあります
③うん、来週早々には事務局から届くでしょう／んーそれがまだはっきりしなくて／
　ああ、一つあります
④条件をよく確認して、この間の打ち合わせで決めた線で協議書を上げ／
　先方に確認し／資料はもうできてるから事前に配付し
⑤何かあった／わからないことがあった／資料についての問い合わせがあった
⑥どのように／どうしましょう／いかがいたしましょう
⑦部長に相談し／すぐわたしに連絡し／任せるから答えとい

<練習> 「名詞 +のほう」の使い方

例のように以下の場面で「名詞 +のほう」を使って会話を作りなさい。
例）上司（＝自分）から部下に指示する。自分：見積もりの見直し　部下A：会議の準備
　　→見積もりの見直しのほうはわたしがしますから、Aさんは会議の準備のほうをお願いします。
　　→見積もりの見直しはわたしのほうでしときますから、会議の準備はAさんのほうでお願いします。

1）自分から同僚に依頼する。　　　　　　自分：資料の数字の確認　　同僚：議事録の作成
2）部下（＝自分）から上司に依頼する。　自分：審査部への連絡　　　上司：取引先A社への説明
3）上司（＝自分）から部下Aに指示する。 自分：お客様へのおわび　　部下A：対応策の検討

> ● ここがポイント！
>
> ビジネスでよく耳にする「名詞 +のほう」は、もともと「方向」を表す言葉が、その「方向」という意味合いを残しながら、「ど（ちらか）の側・ほう」といった意味や、婉曲表現として使われている。業務の分担などを相手に説明したいときに、積極的に使ってみよう。
>
> 【解答例】
> 1）資料の数字の確認のほうはわたしがするから、議事録の作成のほうをよろしく。／資料の数字の確認はこっちのほうでするから、議事録の作成はそっちのほうでよろしく。
> 2）審査部への連絡のほうは私がいたしますので、A社へのご説明のほうをお願いできますでしょうか。／審査部への連絡は私のほうでいたしますので、A社へのご説明は部長のほうからお願いしたいのですが。
> 3）お客様へのおわびのほうはわたしがしておくから、対応策の検討のほうをやっておいて。／お客様へのおわびはわたしのほうでするから、対応策の検討はAさんのほうでやってください。

戦略会話2-b 仕事の内容を順に指示する②↔あいづちを打ちながら、確認・質問し、指示を仰ぐ

立場：B（部下） ＜ A（上司）

A8：次に、＿＿＿①＿＿＿は＿＿＿②＿＿＿ということでよろしくお願いします。

B8：あの、＿＿＿①＿＿＿というのは、＿＿＿③＿＿＿ということでよろしいでしょうか。→わからない点を聞き返して確認する

A9：うん、そうそう。＿＿＿④＿＿＿です。

B9：（ 返事をする ）。あの、一つ＿＿＿⑤＿＿＿。→質問の許可を求める

A10：どうぞ。

B10：＿＿＿⑥＿＿＿については＿＿＿⑦＿＿＿。→指示を仰ぐ

A11：ああ、それなんですが、＿＿＿⑧＿＿＿。→助言する

B11：（ 返事をする ）。では、よろしければわたしのほうから、＿＿＿⑨＿＿＿ましょうか。→申し出る

A12：よろしくお願いします。じゃあ、それは＿＿＿⑩＿＿＿ね。あと、＿＿＿⑪＿＿＿ので、＿＿＿⑫＿＿＿ておいてほしいんです。→事情を説明して指示する

B12：（ 返事をする ）。

下の表現を使って戦略会話を完成させなさい。

①例のパーティー／この間の見積もり案／人事部とのこと
②部長に同行する／後日改めて検討する／再調整
③フレンド商会の社長就任パーティー／サン商事への見積もり／
　例の研修生受け入れの件
④14日の／昨日作ったやつ／上海支社から依頼された件
⑤お聞きしてもよろしいでしょうか／よろしいでしょうか／お伺いしたいんですが
⑥エコ・フェスタ出展／週末のレイアウト変更／来期の予算
⑦何かございますか／どうしましょうか／どのように
⑧企画部の島田チーフあたりにも相談してみたほうがよさそうですね／
　警備のほうにも話を通しておいたほうがいいかもしれませんね／
　そろそろ準備に取りかかったほうがいいと思いますよ

⑨今日にでも島田チーフに話してみ／この後、連絡しておき／
　各担当にヒアリングしておき
⑩大丈夫です／問題ないです／オーケーです
⑪いろいろ懸案事項(けんあんじこう)がある／わたしあての郵便物がけっこう来る／
　常務(じょうむ)から毎日電話がかかってくる
⑫出張先に毎日の報告をメールし／一応見／うまく報告し

＜練習＞　情報を並べる接続詞(せつぞくし)の使い方

（　　）にどんな接続詞(せつぞくし)が入るか考えなさい。
1）銀行、証券会社(しょうけんがいしゃ)、生保(せいほ)、（　　　）ファンドも参加したプロジェクトになった。
2）事業(じぎょう)をやっていくうえで肝心(かんじん)なのは（　①　）計画、次に資金の手当て、（　②　）進捗(しんちょく)の確認と検証(けんしょう)です。
3）新人研修でやったと思いますが、仕事の基本は、報告、（　①　）連絡、（　②　）相談ですよ。

> ● **ここがポイント！**
>
> 同じ種類の事柄を並べて述べるとき、次のような言い方がある。
> ① まず／最初に／初めに A、次に B、それから／そして／それに C
> 　→重要度や時間の順序、手順を説明するとき
> ② A、それから／そして／それに B、それから／そして／それに C
> 　→時間や重要度などに関係なく並べたいとき（前と後ろの□には違うものを選ぶ）
> こうした接続詞には聞き手の注意を引く効果があるのでうまく使い分けよう。
> 【解答】　1）それから／そして／それに
> 　　　　　2）①まず　②それから／そして／それに
> 　　　　　3）①②それから／そして／それに（ただし、①と②には違うものを使う）

＜応用練習＞

接続詞(せつぞくし)の使い方に注意しながら、自分の場面で戦略(せんりゃく)会話2-a、2-bを続けて作りなさい。

戦略会話3　緊急時の連絡先を指示する→質問の有無を確認する→話を切り上げる

立場：B（部下） ＜ A（上司） 🎧12

B12：あの、＿＿＿＿①＿＿＿＿は＿＿＿＿②＿＿＿＿。→指示を仰ぐ
A13：＿＿＿＿③＿＿＿＿お願いします。→指示する
B13：（　返事をする　）。
A14：＿＿＿＿④＿＿＿＿、何かありますか。
B14：いえ……
A15：じゃ、そういうことでよろしく頼みます。→話を切り上げる
B15：（　返す　）。

下の表現を使って戦略会話を完成させなさい。

①緊急の際／ご連絡したい場合／携帯がつながらないとき
②どうすればよろしいでしょうか／どちらにすればよろしいですか／
　いかがいたしましょうか
③携帯を持ってるから、そちらに連絡を／向こうの番号に／
　折り返しかけるから留守電にメッセージを
④こんなところですが／わたしのほうからは以上ですが／このぐらいですが

＜応用練習＞

自分の場面で戦略会話3を作りなさい。

課題2：戦略会話に沿ってスムーズに話す

<練習> 話題の中の「こ・そ・あ」の使い方

1) 正しいものを選びなさい。ただし一つとは限りません。

　　a：ちょっと困ってまして、民事訴訟にお詳しい方、どなたかご紹介いただけませんか。

　　b：ああ、①（ これ・それ・あれ ）ならいい人がいますよ。わたしの後輩で田中というんですが。

　　a：そうですか。②（ この・その・あの ）方をご紹介いただけますか。

　　b：いいですよ。ただし、③（ この・その・あの ）件はあくまでわたしとaさんの個人的なことということにしておいてください。

　　a：ええ、もちろんです。よろしくお願いします。

　　b：もし、会うなら④（ この・その・あの ）店がいいんじゃないかな。
　　　ええと、ほら、前にaさんに教えてもらった……絵がたくさんある……

　　a：ああ、⑤（ この・その・あの ）店！　カフェ六本木ですね。

　　b：そうそう。カフェ六本木だ。

> **❗ ここがポイント！**
>
> 会話の中で、話し手と聞き手がどちらも知っているものを指す場合、あるいは話し手が独り言のように言っていて、聞き手のことを問題にしていない場合は「あ」を使う。それ以外は「そ」になる。ただし、自分の提供した話題や知っていることなど、自分の側の話題として示したいときは「こ」を使う。突然「あの取引先は～」と切り出しても、相手には通じないので注意しよう。
>
> 【解答】①それ　②その　③この／その　④あの　⑤あの

2)「こ・そ・あ」に注意しながら、「（人や情報）を取引先に紹介する」という場面を設定して会話を作りなさい。

課題3 戦略会話1〜3を通して話す

🎧9
　課長：ブラウンさん、ちょっといいですか。
ブラウン：はい、何でしょうか。
　課長：実は、来月の海外出張が前倒しになって、来週行くことになったんですよ。
ブラウン：そうですか。ずいぶん急ですね。
　課長：うん、向こうの都合でね。それで、ブラウンさんに留守中のことをお願いしたいと思って。
ブラウン：はい、わかりました。
　課長：ここじゃあ、なんだから、そちらの広いテーブルでやりましょうか。
ブラウン：はい。

🎧10
　課長：まず、恒例の国際見本市協賛の件をよろしくお願いします。
ブラウン：わかりました。概要のほうはどうなっているんでしょうか。
　課長：うん、来週早々には事務局から届くでしょう。条件をよく確認して、この間の打ち合わせで決めた線で協議書を上げておいてもらえますか。
ブラウン：承知しました。何かあった場合はどのように……
　課長：その時は部長に相談してください。
ブラウン：わかりました。

🎧11
　課長：次に、例のパーティーは部長に同行するということでよろしくお願いします。
ブラウン：あの、例のパーティーというのは、フレンド商会の社長就任パーティーということでよろしいでしょうか。
　課長：うん、そうそう。14日のです。
ブラウン：承知しました。あの、一つお聞きしてもよろしいでしょうか。
　課長：どうぞ。
ブラウン：エコ・フェスタ出展については何かございますか。
　課長：ああ、それなんですが、企画部の島田チーフあたりにも相談してみたほうがよさそうですね。

課題3：戦略会話1〜3を通して話す　27

ブラウン：わかりました。では、よろしければわたしのほうから、今日にでも島田チーフに話してみましょうか。
課長：よろしくお願いします。じゃあ、それは大丈夫ですね。あと、いろいろ懸案事項(けんあんじこう)があるので、出張先に毎日の報告をメールしておいてほしいんです。
ブラウン：わかりました。

🎧12

ブラウン：あの、緊急(きんきゅう)の際はどうすればよろしいでしょうか。
課長：携帯(けいたい)を持ってるから、そちらに連絡をお願いします。
ブラウン：承知しました。
課長：こんなところですが、何かありますか。
ブラウン：いえ……
課長：じゃ、そういうことでよろしく頼みます。
ブラウン：はい。

<応用練習>

自分の場面で戦略(せんりゃく)会話1～3を通して話しなさい。

課題4 実戦会話　以下の流れに沿って会話する

ある機械メーカーの営業部課長のチンさんは、出張のため、部下の岡田さんに引き継ぎを指示する。

> 立場：岡田（部下）　＜　チン課長（上司）

1. 切り出す→事情説明→引き継ぎを指示する

課長：岡田を呼ぶ。
岡田：返事をして、何か聞く。
課長：部長に同行して、明日あさってと名古屋に出張することになったと言う。
岡田：あいづちを打ち、課長もいないとなると厳しいとコメントする。
課長：わびる。留守中のことを岡田に頼みたいと言う。
岡田：返事をする。
課長：ここでは落ち着かないからと、あちらの広いテーブルに誘う。
岡田：返事をする。

2-a. 仕事の内容を順に指示する①↔あいづちを打ちながら、確認・質問し、指示を仰ぐ

課長：仕事の内容① K&G社来社の件で、先方を連れていく社用車の手配をするよう頼む。
岡田：返事をする。K&G社は仕入担当課長と技術部次長の2人か確認し、自社側は何人か尋ねる。
課長：部長と自分、全部で4人だと答える。ゆったり座れるような大きめの車を頼む。
岡田：返事をする。総務に空いていないと言われた場合はどうするか指示を仰ぐ。
課長：その時は岡田が直接外部に頼むように指示する。
岡田：返事をする。

2-b. 仕事の内容を順に指示する②↔あいづちを打ちながら、確認・質問し、指示を仰ぐ

課長：仕事の内容②国際環境フェアの計画書の件は見直し案を作ることを頼む。

岡田：見直し案というのは出品数を絞り、去年の経費並に抑えることかと確認する。

課長：そうだと言う。社のコンセプト（クリーン・エア、クリーン・ウォーター）が強調できるものに絞るということだと補足する。

岡田：返事をし、一つ聞いてもいいかと尋ねる。

課長：許可する。

岡田：明日午後の開発部との打ち合わせについて何かあるかと尋ねる。

課長：思い出す。調査部のだれかに入ってもらったほうがいいかもしれないと助言する。

岡田：返事をし、谷口主任にすぐに話を通しておくと申し出る。

課長：了承して念を押す。お客さんからの問い合わせのメールを後で岡田のところへ転送するので、返事をしておいてほしいと頼む。

岡田：返事をする。

3. 緊急時の連絡先を指示する→質問の有無を確認する→話を切り上げる

岡田：連絡したい場合、どこにすればいいか聞く。

課長：携帯に連絡するように言う。つながらないときは留守電にメッセージを残すように指示する。折り返し電話をするからとつけ加える。

岡田：返事をする。

課長：引き継ぐことは一応伝えたが、何かほかにあるか聞く。

岡田：ないという。

課長：話を終わりにする。

岡田：返す。

<課題4　会話例>

🎧13
課長：岡田さん、ちょっといいですか。
岡田：はい、何でしょうか。
課長：実は、部長の同行で明日あさってと名古屋に出張することになったんですよ。
岡田：そうですか。課長もいらっしゃらないとなると厳しいですね。
課長：うん、申し訳ない。それで岡田さんにその間のことをいくつかお願いしたいと思って。
岡田：はい、わかりました。
課長：ここじゃ、落ち着かないから、あっちの広いテーブルでやりましょうか。
岡田：はい。

🎧14
課長：まず、K＆G社来社の件ですが、先方をお連れする社用車を手配しといてもらえますか。
岡田：承知しました。向こうは仕入担当課長と技術部次長の2人ですね。うちのほうは何人でしょうか。
課長：部長とわたし、全部で4人です。ゆったり座れるような大きめのをお願いします。
岡田：わかりました。総務に空いてないと言われた場合はどうしましょう。
課長：その時は岡田さんから直接外部に頼んでください。
岡田：はい。

🎧15
課長：次に、国際環境フェアの計画書の件ですが、見直し案を作るということでよろしくお願いします。
岡田：あの、見直し案というのは、出品数を絞って、去年の経費並に抑えるということでしょうか。
課長：そうです。社で打ち出しているクリーン・エア、クリーン・ウォーターのコンセプトが強調できるものに絞るということです。
岡田：わかりました。あの、一つ伺ってもよろしいでしょうか。
課長：どうぞ。
岡田：明日午後の開発部との打ち合わせについては何かございますか。
課長：ああ、それなんですが、調査部のだれかに入ってもらったほうがいいかもしれませんね。

岡田：そうですか。では、よろしければわたしのほうから、この後すぐに谷口主任に話を通しておきましょうか。
課長：よろしくお願いします。じゃあ、それはオーケーですね。あと、お客さんからの問い合わせのメールを後で岡田さんのところへ転送するので、返事しといてほしいんですが。
岡田：わかりました。

🎧16

岡田：あの、課長にご連絡したい場合はどちらにすればよろしいでしょうか。
課長：携帯のほうにお願いします。つながらないときは留守電にメッセージを残してください。折り返し電話しますので。
岡田：はい、承知しました。
課長：わたしからはこんなところですが、何かありますか。
岡田：いえ……
課長：じゃ、そういうことでよろしく頼みます。
岡田：はい、わかりました。

課題 5　評価する

以下の10項目について評価してみよう。
A：よい　B：もう少し努力が必要（その理由）

1. 切り出す→事情説明→引き継ぎを指示する
   【課長】適切な表現を使って呼びかけ、事情説明を切り出し、相手に配慮しながら指示しているか。　　　　　　　　　　　　　　　　　　　　　　　　（　　）

   【岡田】返事をきちんとしているか、あいづちやコメントは適切か。　（　　）

2. 仕事の内容を順に指示する⇔あいづちを打ちながら、確認・質問し、指示を仰ぐ
   【課長】ポイント説明の表現を使って内容を順に指示しているか。それぞれの指示が同じ言い方になっていないか。　　　　　　　　　　　　　　　　　（　　）

   【岡田】確認や質問をしたり、指示を仰いだりする際の言い方は適切か。（　　）

   【課長】助言の言い方は適切か。　　　　　　　　　　　　　　　　　（　　）

   【岡田】相手に配慮しながら申し出ているか。　　　　　　　　　　　（　　）

   【課長・岡田】あいづちを適切に打っているか。　　　　　　　　　　（　　）

3. 緊急時の連絡先を指示する→質問の有無を確認する→話を切り上げる
   【岡田】緊急時の連絡について、指示を仰ぐ言い方は適切か。　　　　（　　）

   【課長】質問の有無を確認したり、話を切り上げたりする言い方は適切か。（　　）

● 全体を通して
   【課長・岡田】全体の流れはスムーズか。　　　　　　　　　　　　　（　　）

第3課
面会して交渉する

交渉では押したり引いたりの駆け引きが重要です。この課では相手を立てながら意向をうかがい、自分に有利な方向に話を持っていくための戦略と効果的な表現を学習します。

課題1 ロールプレイにチャレンジ

キムさんは先日出した見積書について返事をもらうために、佐藤さんの会社を訪問する。

立場：キム（営業担当者） ＜ 佐藤（客）

1. **訪問のあいさつ→世間話**
   佐藤：待たせたと言う。
   キム：時間をもらった礼を言う。
   佐藤：来てもらった礼を言い、外は暑かっただろうとねぎらう。
   キム：同意し、やはり温暖化の影響ではないかと言う。
   佐藤：同意する。

2. **本題の切り出し→交渉（お互いの立場を主張する）**
   キム：先日出した見積もりの件を切り出し、その後どうか聞く。
   佐藤：品質はいいが、上を説得するには価格が問題であると難色を示す。
   キム：見積書の価格は自社として精いっぱいのものであると自社の立場を示す。
   佐藤：理解を示しながらも、競争が厳しい世の中で見積書の単価8,000円では取引できないと言う。
   キム：あいづちを打つ。

3. **相手の意向を探りながら譲歩する**

キム：相手の条件を具体的に聞く。
佐藤：あと15％下げてほしいと言う。
キム：厳しいと難色を示す。
佐藤：15％下げてくれれば、すぐ返事ができると押す。
キム：自社に有利な譲歩案を提示、例えば取引を増やせないかと尋ねる。
佐藤：他社から20％以上安い見積もりが来ていることを話し、自社も厳しいと言って、更に押す。
キム：考える。

4. **返事を保留する→終わりのあいさつ**

キム：状況を理解し、時間が欲しいと頼む。自分だけでは決められないので、上司に話してから返事をしてもいいか聞く。
佐藤：了承する。
キム：礼を述べて、話を切り上げる。
佐藤：価格の問題が解決すれば、キムの会社を推すので、いい返事を期待していると言う。
キム：返事をして、終わりのあいさつをする。
佐藤：返す。
キム：辞去する。

課題2 戦略 会話に沿ってスムーズに話す

戦略会話1　訪問のあいさつ→世間話

立場：B（担当者）　＜　A（客）　🎧17

A1：どうも＿＿＿＿①＿＿＿＿。
B1：いいえ。今日は、お忙しいところ＿＿＿＿②＿＿＿＿ありがとうございます。
A2：いいえ、こちらこそ。わざわざ＿＿＿＿③＿＿＿＿ありがとうございます。
　　＿＿＿＿④＿＿＿＿。→世間話をする
B2：＿＿＿＿⑤＿＿＿＿……
A3：＿＿＿＿⑥＿＿＿＿。

下の表現を使って戦略会話を完成させなさい。

①お待たせしました／お待たせしてすみません／お待たせして申し訳ありません
②お時間をいただきまして／お時間をとっていただきまして／
　お時間を割いていただきまして
③お越しいただき／来ていただいて／いらしていただいて
④外は暑かったでしょう（天候の話）／
　最近はどうですか（景気の話）／
　昨日の地震、けっこう揺れましたねぇ（身近な話）
⑤ええ、やっぱり温暖化の影響ですかねぇ／
　本当に、いつまで続くんでしょうかねぇ／いやあ、参りますね（天候の話）／
　ええ、なかなか厳しくて／いやあ、相変わらずで／まあ、貧乏暇なしで（景気の話）／
　いやあ、大きかったですよね／最近多いですよねぇ／
　ええ、びっくりしましたよ（身近な話）
⑥そうですね（天候の話・身近な話）／
　そうですか、こういう時ですからね（景気の話）

36　第3課：面会して交渉する

<練習1> 世間話の意味

世間話になるように適切な会話を作りなさい。

1) a：最近どうですか。
　　b：ええ、（　①　）。
　　a：そうですか。（　②　）。
　　b：（　③　）。

2) a：今日も寒いですね。
　　b：（　①　）。
　　a：そうですね。（　②　）。
　　b：（　③　）。

> ● **ここがポイント！　～共感とあいづち～**
>
> 商談では本題に入る前に、景気や天候、時事的なことなどについて、簡単に話をするのが普通である。世間話は一見、何の意味もないように見えるが、ビジネスをする前の準備運動として非常に大切な役割を持つ。つまり、ビジネスを友好的に進めるために、ある話題についてお互いが同じ気持ちであることを示し合い、場を和ませるのである。
>
> 【解答例】1)①おかげさまで何とか　②それは何よりですね
> 　　　　　　　③いやあ、御社にはまだまだ及びませんが
> 　　　　　2)①本当に、参っちゃいますよね
> 　　　　　　　②今朝はこの冬一番だそうですよ　③そうですか

課題2：戦略会話に沿ってスムーズに話す

<練習2> 「そうですか」と「そうですね」の意味

適切なほうを選びなさい。

1) a：暑いですねぇ。
   b：ほんとにそうです（ ね・か ）。
2) a：私どもでかねてから開発中の製品が、このたびようやく商品化されることになりまして。
   b：そうです（ ね・か ）。それはおめでとうございます。
3) a：先日ご依頼いただいた契約更新の件ですが、今回は見合わせたいと思いまして…
   b：そうです（ ね・か ）……
4) a：御社としてはどのぐらいの予算をお考えでしょうか。
   b：そうです（ ね・か ）……まあ、ざっと1億といったところです。

> **● ここがポイント！**
>
> 「そうですか」「そうですね」をはじめとするあいづちは、会話をスムーズに進めるために重要である。二つの違いをよく理解し、うまく使い分けよう。
>
> 「そうですね」：①同意「わたしもそう思う」 1)
> 　　　　　　　②「考えています」のサイン 4)
> 「そうですか」：①新しい情報や新発見 2)
> 　　　　　　　②仕方なく同意する 3)
>
> 【解答】1) ね　2) か　3) か　4) ね

<応用練習>

世間話の内容を考え、自分の場面で戦略会話1を作りなさい。

戦略会話2　本題の切り出し→交渉（お互いの立場を主張する）

立場：B（担当者）＜　A（客）　🎧18

B3：で、早速ですが、今日は先日＿＿＿＿①＿＿＿＿につきまして、
　　＿＿＿＿②＿＿＿＿と思いまして。→訪問の目的を述べる

A4：ええ、それなんですが……＿＿＿＿③＿＿＿＿よ。
　　→プラスのコメントをする
　　ただ、＿＿＿＿④＿＿＿＿ちょっと……　→難色を示す

B4：そうですか……私どもといたしましては、＿＿＿＿⑤＿＿＿＿が……
　　→自社の立場を示す

A5：ええ、＿＿＿＿⑥＿＿＿＿が、やはり＿＿＿＿⑦＿＿＿＿というのは、
　　ちょっと……　→理解を示しながらも、自分の立場を押す

B5：そうですか……

下の表現を使って戦略会話を完成させなさい。

①お出しした見積もりの件／ご提案させていただいた企画の件／
　メールでお送りした調査結果
②その後いかがか／お返事をお聞かせいただければ／ご感想を伺わせていただきたい
③品質そのものはいいと思うんです／発想は面白いと思います／
　よくお調べになっていると思います
④上を説得するには価格が／費用面で現実的かとなると／
　今一つ説得力に欠けるのが
⑤精いっぱいやらせていただいたつもりなんです／
　その点も十分考慮した上でのものなんです／
　具体的な数字を挙げてご説明させていただいたんです
⑥それはよくわかります／そうかもしれません／それはそうなんです
⑦こんな時代ですから、単価8,000円／費用が1,000万円／数字だけ

<練習1> 敬語の使い方①「お／ご 動詞 する（いたします）」

次の下線部の動詞の中で「お／ご 動詞 する」の形の謙譲語が使えないものを選びなさい。

1) 店長、片づけが終わったので帰ります。
2) お世話になった方に何か買いたいんですが。
3) 課長のご自宅のほうにメールを送りますので。
4) お客様、コートを預かります。
5) ［場所がわからないというお客様に対して］でしたら、地図を書きますので。
6) 課長に言われて、これから企画書を書くんですよ。

> ● ここがポイント！
> 話者の行為を受ける相手がいない動詞は、「お／ご 動詞 する」の謙譲語は使えない。
> 使える動詞：「見せる・届ける・渡す・案内する・招待する」など
> 使えない動詞：「帰る・買う・座る・感動する・考える・述べる」など
> ただし、「書く」などは場面によって使えるときと使えないときがあることに注意する。
> 【解答】1)・2)・6)

<練習2> 敬語の使い方②「（ご）動詞使役形 ていただく」

次の下線部の言い方で適切でないものを選びなさい。

1) あの、先日お誘いいただいた勉強会に、ぜひ参加させていただきたいんですが。
2) このたび、新製品を開発させていただきました。
   つきましては、ぜひ一度ご覧いただければと思いますが。
3) ［来客が工場に興味を示したとき］よろしければ、工場のほうをご案内させていただきますが。

> ● ここがポイント！
> 「（ご）動詞使役形 ていただく」は「相手の許可を得たい」という気持ちを表したいときに使われる。また、相手のおかげでできるという気持ちを表すことにも使われる。したがって「今度、弊社は海外進出させていただくことになりまして……」のような言い方は不適当である。
> 【解答】2)

<応用練習>

謙譲語の使い方に注意しながら、自分の場面で戦略会話2を作りなさい。

戦略会話3　相手の意向を探りながら譲歩する

立場：B（担当者）　＜　A（客）　🎧19

B5：あの、御社としては、＿＿＿＿＿①＿＿＿＿＿をお考えなんでしょうか。
　　→具体的な条件を聞く
A6：そうですね。＿＿＿＿＿②＿＿＿＿＿いただければ……　→具体的な条件を提示する
B6：そうですか……＿＿＿＿＿③＿＿＿＿＿……　→難色を示す
A7：＿＿＿＿＿④＿＿＿＿＿でしたら、＿＿＿＿＿⑤＿＿＿＿＿んですが。
　　→相手を揺さぶりながら更に押す
B7：そうですか……あの、＿＿＿＿＿⑥＿＿＿＿＿というのはいかがでしょう。
　　→自社に有利な譲歩案を提示する
A8：そうですね……いやあ、＿＿＿＿＿⑦＿＿＿＿＿ものですから……
　　→自社の事情を話す
　　＿＿＿＿＿⑧＿＿＿＿＿。→更に押す
B8：そうですね……

下の表現を使って戦略会話を完成させなさい。

①どのぐらいの線／どのぐらいの予算／どのような内容
②本音を言うと、もう15%下げて／単刀直入に言って、予算を半分に抑えて／率直に言わせていただくと、数字の根拠となっているものをもう一度全部見直して
③なかなか厳しいですねぇ／うーん、難しいですね／全部ですか
④この数字／こちらの条件をのんでくださるん／そうしてくださるん
⑤今この場で決められる／話を前に進められる／上に話を通しやすい
⑥お取引の数を増やしていただく／今の3分の2でやらせていただく／数字の根拠について、ご納得いただけるまでご説明させていただく
⑦実は、ほかからも話が来てまして、おたくより20%以上安いんですよ。うちもギリギリでやってる／うちもいっぱいいっぱいな／私どもも早め早めに手を打ちたい
⑧まあ、そこまでとは言いませんが、もう少し何とかなりませんか／何とかやっていただけませんか／何とかお願いできないでしょうか

＜応用練習＞

「そうですか」「そうですね」に注意しながら、自分の場面で戦略会話3を作りなさい。

課題2：戦略会話に沿ってスムーズに話す

戦略会話4　返事を保留する→終わりのあいさつ

立場：B（担当者）　＜　A（客）

B8：わかりました。では、少しお時間をいただけますでしょうか。私の一存では決めかねますので、その辺のところを＿＿＿＿①＿＿＿＿ということでよろしいでしょうか。→返事を保留する

A9：ええ、＿＿＿＿②＿＿＿＿。→同意する

B9：ありがとうございます。では、そういうことでよろしくお願いいたします。

A10：＿＿＿＿③＿＿＿＿よ。

B10：はい。今日は、お忙しいところありがとうございました。

A11：こちらこそどうも。

B11：失礼いたします。

下の表現を使って戦略会話を完成させなさい。

①上の者に話しまして、改めてご相談させていただく／
　社に戻って検討いたしまして、もう一度お話しさせていただく／
　上に話しまして、後ほどご連絡させていただく

②けっこうですよ／わかりました／いいですよ

③価格面がクリアになれば、わたしもおたくを推しますから、いいお返事、お待ちしています／
　よろしく頼みます／ご連絡お待ちしています

＜応用練習＞

返事を保留する表現を使って、自分の場面で戦略会話4を作りなさい。

課題3 戦略会話1〜4を通して話す

🎧17
佐藤：どうもお待たせしました。
キム：いいえ。今日は、お忙しいところお時間をいただきましてありがとうございます。
佐藤：いいえ、こちらこそ。わざわざお越しいただきありがとうございます。外は暑かったでしょう。
キム：ええ、やっぱり温暖化の影響ですかねぇ……
佐藤：そうですね。

🎧18
キム：で、早速ですが、今日は先日お出しした見積もりの件につきまして、その後いかがかと思いまして。
佐藤：ええ、それなんですが……品質そのものはいいと思うんですよ。ただ、上を説得するには価格がちょっと……
キム：そうですか……私どもといたしましては、精いっぱいやらせていただいたつもりなんですが……
佐藤：ええ、それはよくわかりますが、やはりこんな時代ですから、単価8,000円というのは、ちょっと……
キム：そうですか……

🎧19
キム：あの、御社としては、どのぐらいの線をお考えなんでしょうか。
佐藤：そうですね。本音を言うと、もう15％下げていただければ……
キム：そうですか……なかなか厳しいですねぇ……
佐藤：この数字でしたら、今この場で決められるんですが。
キム：そうですか……あの、お取引の数を増やしていただくというのはいかがでしょう。
佐藤：そうですね……いやあ、実は、ほかからも話が来てまして、おたくより20％以上安いんですよ。うちもギリギリでやってるものですから……まあ、そこまでとは言いませんが、もう少し何とかなりませんか。
キム：そうですね……

🎧 20

キム：わかりました。では、少しお時間をいただけますでしょうか。私の一存(いちぞん)では決めかねますので、その辺のところを上の者に話しまして、改めてご相談させていただくということでよろしいでしょうか。

佐藤：ええ、けっこうですよ。

キム：ありがとうございます。では、そういうことでよろしくお願いいたします。

佐藤：価格面(かかくめん)がクリアになれば、わたしもおたくを推(お)しますから、いいお返事、お待ちしていますよ。

キム：はい。今日は、お忙しいところありがとうございました。

佐藤：こちらこそどうも。

キム：失礼いたします。

＜応用練習＞

自分の場面で戦略(せんりゃく)会話1～4を通して話しなさい。

課題4 実戦会話　以下の流れに沿って会話する

ムーン産業は、借り入れコスト圧縮のため、懇意にしている日東銀行から低い金利で借り入れ、今あるウエスト銀行からの借入金を返済することを考えている。そこで、ムーン産業財務担当の金子さんは、日東銀行のアリさんを訪ね、先日提示された金利について相談した。

立場：金子（ムーン産業・財務担当者）＝アリ（日東銀行・融資担当者）

1. 訪問のあいさつ→世間話
   金子：遅れたことをわびながらあいさつする。
   アリ：返して来行の礼を言う。
   金子：地下鉄で車両故障があったようで、駅の手前で10分ぐらいストップしていたと事情を話す。
   アリ：同情して、関連する世間話をする。
   金子：返す。
   アリ：あいづちを打ちながらお茶を勧める。
   金子：礼を言う。

2. 本題の切り出し→交渉（お互いの立場を主張する）
   金子：先日提案してもらった借り換え金利の件を切り出し、相談したいと用件を言う。
   アリ：先日の電話で、金利水準がもう少し何とかならないかと言っていた件かと確認する。
   金子：そうだと言う。アリの日東銀行から提示された3.75%はコスト圧縮の点からも助かると言う。
   アリ：ムーン産業の財務内容をほめ、優遇金利を出したと言う。
   金子：礼を言ってから難色を示す。
   アリ：自行の立場（精いっぱいの数字であること）を説明する。
   金子：自社の立場（自社の資金調達コストが同業平均に比べ割高になっていて、調達コスト削減が今期の経営計画の一つになっていること）を説明する。
   アリ：あいづちを打つ。

3．相手の意向を探りながら譲歩する

アリ：相手の条件を聞き出す。

金子：目標は3.5%だと言う。

アリ：難色を示す。

金子：今まであまりつきあいのなかった他銀行から3.25%を提示されていることを言い、3.5%なら今すぐに話が進められると、相手を揺さぶりながら更に押す。

アリ：自行に有利な案を提示（一部短期の変動金利を組み合わせるなどリスクをとるなら可能である）して、相手の譲歩を引き出す。

金子：具体的な提案を求める。

4．返事を保留する→終わりのあいさつ

アリ：了承する。至急検討し、上司に相談してから、また連絡すると返事を保留する。

金子：礼を言い、話を切り上げる。

アリ：返し、終わりのあいさつをする。

金子：あいさつを返し、辞去する。

<課題4　会話例>

🎧21
金子：どうも、遅くなりまして申し訳ございません。
アリ：いいえ、わざわざお越しいただきありがとうございます。
金子：いやあ、地下鉄で車両故障があったとかで、駅の手前で10分近くストップしてしまいまして。
アリ：そうですか。大変でしたね。最近、故障や事故が多いですよね。
金子：本当に。先週は夕方のラッシュアワーに雷雨で、1時間近く不通になってしまいまして。参りましたよ。
アリ：いつ動くんだろうかとイライラしますよね。まあ、お茶でもどうぞ。
金子：恐れ入ります。

🎧22
金子：早速ですが、今日は先日ご提案いただいた借り換えの金利の件につきまして、ご相談させていただきたいと思いまして。
アリ：先日のお電話では、金利水準がもう少し何とかならないかということでしたね。
金子：ええ、御行からご提示いただいた3.75％というのは、現在の私どもの借り入れ金利からすれば、コスト圧縮の点で大変助かります。
アリ：御社は財務内容もしっかりしていらっしゃいますので、優遇したレートをお出ししたんですよ。
金子：ありがとうございます。ただ、私どもの考えております線からしますとちょっと……
アリ：そうですか……この数字は当行といたしましてもいっぱいいっぱいの水準なんですが……
金子：ええ、それはよく……実は、当社の資金調達コストなんですが、同業平均で見ますと割高になっておりまして……この削減が今期の経営計画の一つになっているという事情があるんです。
アリ：なるほど……

課題4：実戦会話　以下の流れに沿って会話する

🎧23
アリ：御社としてはどのぐらいの線をお考えなんでしょうか。
金子：削減目標を達成するためには、3.5％の線を目指したいと……
アリ：3.5％ですか……うーん、厳しいですね……
金子：実は、大変申し上げにくいんですが、3.25％でどうかと言ってきている銀行がありまして。まあ、今まであまりおつきあいがなかったところからなんですが……そこまでとは申しませんが、もし、3.5％が可能であれば、すぐにでも話が進められるものですから……何とかお願いできないでしょうか。
アリ：そうですね……多少リスクをとって、ということでしたら……例えば、一部短期の変動金利にして金利水準を抑えるなど、ご検討いただく余地はあるかと思いますが。
金子：そうですか。では、そのような調達方法も含めて、具体的にいくつかご提案いただけますでしょうか。

🎧24
アリ：わかりました。至急検討して、上の者にも相談の上、改めてご連絡させていただきます。
金子：助かります。では、そういうことでよろしくお願いいたします。
アリ：承知しました。今日は、わざわざお越しいただきありがとうございました。
金子：いえ、こちらこそありがとうございました。では、失礼いたします。

課題 5　評価する

以下の 10 項目について評価してみよう。
A：よい　B：もう少し努力が必要（その理由）

1. 訪問のあいさつ→世間話
   【アリ・金子】相手に配慮しながらあいさつしているか。　　　　　　　（　　）

   【アリ・金子】相手に共感しながら、スムーズな世間話ができているか。（　　）

2. 本題の切り出し→交渉（お互いの立場を主張する）
   【金子】切り出しと訪問の用件を適切な表現と敬語を使って述べているか。（　　）

   【アリ・金子】相手のプラス部分を述べてから、また、相手に配慮しながら、自分の
   　　　　　　立場を主張しているか。　　　　　　　　　　　　　　　　（　　）

   【アリ・金子】難色を表す時の抑揚や文末の表現、あいづちの打ち方は適切か。
   　　　　　　　　　　　　　　　　　　　　　　　　　　　　　　　　　（　　）

3. 相手の意向を探りながら譲歩する
   【アリ】相手の条件を適切な表現を使って聞き出しているか。　　　　　（　　）

   【金子】適切な前置き表現を使いながら自社の事情を話し、相手を揺さぶることがで
   　　　　きているか。　　　　　　　　　　　　　　　　　　　　　　　（　　）

   【アリ・金子】まず相手を受け入れてから、譲歩案や新しい案を提示しているか。
   　　　　　　　　　　　　　　　　　　　　　　　　　　　　　　　　　（　　）

4. 返事を保留する→終わりのあいさつ
   【アリ】適切な表現を使って返事を保留しているか。　　　　　　　　　（　　）

   【アリ・金子】話の切り上げ方、終わりのあいさつは適切か。　　　　　（　　）

第4課
個人客からの苦情（1）

商品やサービスへの不満など個人客から苦情（クレーム）を受けた場合、相手の言いたいことを十分聞いて、一つ一つの言葉や言い方に細心の注意を払わなければなりません。この課では感情的になっているお客様をなだめ、速やかに問題に対処するための戦略と効果的な表現を学習します。

課題1　ロールプレイにチャレンジ

ホテルブリットのフロント係の松井さんは宿泊客（田中）から苦情の電話を受ける。

立場：松井（ホテルブリット・フロント係）　＜　田中（客）

1. 電話で苦情を受ける

    松井：電話に出る。

    田中：聞きたいことがあると切り出す。

    松井：返事をする。

    田中：チェックアウトしたが、金額を確認したら25,000円の部屋を予約したはずなのに28,000円になっていると苦情を言う。

    松井：あいづちを打つ。調べるため客の名前を聞く。

    田中：名前を言う。

    松井：名前を確認してから電話を保留にする。

2. わびながら自社の立場を説明する

    松井：再び電話に出る。謝ってから、時期によって料金が3段階になっていると説明する。更に、9月末までは25,000円だが、10月から28,000円になると言う。

    田中：不満を言い、パンフレットに25,000円と書いてあると反論する。

    松井：謝る。パンフレットの下に書いてあることや、予約のときにも確認していることを説明する。

    田中：パンフレットの文字が小さいと不満を言い、確認もされていないと反論し、自分の主張を押す。

    松井：断って、理解を求める。

    田中：拒否する。上司を電話に出すよう求める。

    松井：返事をする。

3．回答を保留する

松井：10分ほど時間がほしいと言う。一度電話を切って、上司から電話をすることにしたいと許可を求める。
田中：了解するが、早くしてほしいと言う。
松井：返事をする。客の電話番号を聞く。
田中：携帯の番号（010-1234-5678）を言う。
松井：番号と名前を確認する。
田中：返事をする。
松井：自分の担当と名前を言い、終わりのあいさつをする。

課題2 戦略 会話に沿ってスムーズに話す

戦略会話1 電話で苦情を受ける

立場：A（担当者） ＜ B（客）

A1：はい、＿＿＿＿＿①＿＿＿＿＿でございます。
B1：ちょっとお聞きしたいんですが。
A2：はい、何でしょうか。
B2：わたし、＿＿＿＿②＿＿＿＿んですが。＿＿＿＿③＿＿＿＿んですが……
　　→苦情を言う
A3：そうでしたか……ただいまお調べいたしますので、お客様のお名前をお願いできますでしょうか。
B3：（　名前　）です。
A4：（　客の名前　）様ですね。恐れ入りますが、このままで少々お待ちください。
　　→電話を保留にする

下の表現を使って戦略会話を完成させなさい。

> ①ホテルブリット／ＡＢＣ英会話アカデミー／ルシア通信販売
> ②先ほどチェックアウトした者な／
> 　そちらでレッスンを受けてる／この間化粧品を購入した
> ③金額を確認したら、1泊25,000円の部屋を予約したはずなのに、28,000円になってる／キャンペーン期間中に友達を紹介したのにキャッシュバックがない／使ってみたら思っていた感じと違うので返品したい

＜練習1＞　敬語の使い方③「お／ご 動詞 （になって）ください」

「お／ご 動詞 （になって）ください」の形が使えないものを選び、正しい言い方にしなさい。

1）［取引先に］あの、Ａ社に私どもをご紹介くださるという件なんですが、できましたら紹介状をお書きになってください。

2）いらっしゃいませ。どうぞ、こちらにおかけください。
3）今日中にやるように言われた仕事なんですが、終わりそうもなくて……申し訳ないんですが、お手伝いください。
4）あちらに飲み物も用意してございますので、どうぞお召し上がりください。

> **! ここがポイント！**
> 相手に自分の都合で何かを頼むとき「お／ご [動詞]（になって）ください」の形は使えない。その場合は、「[動詞] ていただけ〜か」などの形を使って話す。
> 【解答例】1）「書いていただけないでしょうか」 3）「手伝っていただけませんか」

<練習２> 「〜んですから」の使い方

「〜んですから」が使えないものを選び、正しい言い方にしなさい。
1）a：新人の名前、よくご存じでしたね。
　　b：さっき名刺を見たんですから。
2）a：連絡が来ないって、先方が困ってるみたいですよ。
　　b：そんなはずありません。ちゃんとメールを送ったんですから。
3）a：もっとゆっくりしていってください。せっかくいらしてくださったんですから。
4）a：[部署の違う後輩に] 今年のボーナス、そっちはずいぶん出るんだってね。
　　b：ええ、おかげさまで。業績好調なんですから。

> **! ここがポイント！**
> 理由を強調したいあまり、「んです」と言うべきところで「んですから」と言ってしまうと、意見の押しつけになってしまうので注意しよう。
> 「〜だからこうするべきだ！（べきでない！）／こうなるはずだ！（はずがない！）」とか、「〜だからこうしてくださいよ」など、主張したり、頼んだり、勧めたり、励ましたりしたいときに使う。なお、「んですので」は使えない。
> 【解答例】1）「さっき名刺を見たんですよ」 4）「業績好調なんです」

課題２：戦略会話に沿ってスムーズに話す

戦略会話2　わびながら自社の立場を説明する

立場：A（担当者）　＜　B（客）　🎧26

A4：お待たせいたしました。（　客の名前　）様、申し訳ありません。
　　　　____①____になっておりまして……→自社の事情を説明する
　　　　　　　____②____……→事情を補強する
B4：____③____。____④____じゃないですか。
A5：大変申し訳ございません。____⑤____……→自社の立場を説明する
B5：____⑥____よ。____⑦____。
A6：それはちょっと……申し訳ございません。____⑧____いただけないでしょうか。→理解を求める
B6：____⑨____。あなたじゃ話にならないですよ。上の人出してください。
A7：かしこまりました。

下の表現を使って戦略会話を完成させなさい。

①こちらのお部屋は、時期によって3段階の料金設定／キャンペーン期間はすでに終了／化粧品の場合一度お使いになったものは返品できないこと

②25,000円は9月末までのもので、10月以降は28,000円となりますが／お知り合いの方のご入会は、キャンペーン期間の終了後でしたので／お使いになる前でしたらお受けできるんですが

③そんなこと聞いてないですよ／何ですか、それ／はあ？

④パンフレットにだって25,000円と書いてある／紹介したのは期間中なんだからいい／そんなの変

⑤パンフレットの下のほうにその旨を記載しておりまして、念のためご予約の際にも料金は確認させていただいているんですが／キャンペーン期間中にご契約いただいた場合に限り、ご紹介の方にキャッシュバックさせていただくことになっているんですが／ご注文の際には、そのようにご案内させていただいているかと思いますが

⑥こんな小さい字じゃわかんないし、確認なんかされてません／そんな話、聞いてません／そんなこと聞いてないです

⑦こっちに落ち度はないんだから、25,000円にしてください／実際入ったんだからちゃんとやってください／

使わなきゃわかんないんだからやってください
⑧何とかご理解／どうかご容赦／ご勘弁
⑨納得なんかできるわけないじゃないですか／こんなの理不尽ですよ／
　そんなこと言われても

<練習> 「こと」と「の」

適切なものを選びなさい。

1) a：定年後はどうされるんですか。
   b：ええ、実は、海外で生活する（　こと・の　）を考えているんですよ。
2) a：あれ、課長どこ？
   b：ああ、さっき、課長が会議室から出てきた（　こと・の　）を見たけど……
3) a：お昼、行かないんですか。
   b：ええ、M社からファックスが来る（　こと・の　）を待ってるんですよ。
4) a：このビル、壁、薄くありません？
   b：そうなんだよ。だから隣の部屋で部長がどなってる（　こと・の　）がよく聞こえてくるんだよ……
5) a：日頃のつきあいを考えれば、先方にもっと安くやってもらう（　こと・の　）を要求してもいいと思いますが。
   b：まあ、それはそうなんだけど、なかなかねぇ……

> **ここがポイント！**
> ビジネスでよく使われる動詞を例に挙げると以下のようになる。
> 主に「こと」を使う動詞：「伝える」「話す」「報告する」「知らせる」「提案する」「約束する」「命じる」「要求する」などの発話に関する動詞や「（話を）聞く」「考える」など
> 主に「の」を使う動詞：「（音を）聞く」「聞こえる」「見る」「見える」「感じる」などの知覚を表す動詞や「待つ」「とめる」「手伝う」「助ける」「間に合う」「我慢する」など
> 【解答】1) こと　2) の　3) の　4) の　5) こと

<応用練習>

適切な表現を使いながら、自分の場面で戦略会話1、2を続けて作りなさい。

戦略会話3　回答を保留する

立場：A（担当者）　＜　B（客）　🎧27

A7：それでは申し訳ありませんが、＿＿＿＿①＿＿＿＿お時間をいただけますでしょうか。一度お電話をお切りして、上の者から＿＿＿＿②＿＿＿＿、よろしいでしょうか。→回答の保留を打診する

B7：わかりました。＿＿＿＿③＿＿＿＿。

A8：はい。では、恐れ入りますが、お客様のお電話番号をお願いできますでしょうか。

B8：（　電話番号　）です。

A9：＿＿＿＿④＿＿＿＿。（　電話番号・客の名前　）様ですね。→確認する

B9：はい。

A10：私、（　部署　）の（　名前　）と申します。
　　ご迷惑をおかけして大変申し訳ありませんが、よろしくお願いいたします。
　　では、いったん失礼させていただきます。（相手が電話を切ってから切る）

下の表現を使って戦略会話を完成させなさい。

①10分ほど／少し／少々／
②折り返しお電話させていただきたいと思いますが／
　改めてお話しさせていただきたいと存じますが／
　改めてお電話させていただくということで
③時間ないんだから早くしてくださいよ／忙しいんだからすぐじゃないと困りますよ／
　待たせないでくださいよ
④復唱させていただきます／繰り返させていただきます／確認させていただきます

＜応用練習＞

自分の場面で戦略会話3を作りなさい。

課題3 戦略会話1〜3を通して話す

🎧25
松井：はい、ホテルブリットでございます。

田中：ちょっとお聞きしたいんですが。

松井：はい、何でしょうか。

田中：わたし、先ほどチェックアウトした者なんですが。金額を確認したら、1泊25,000円の部屋を予約したはずなのに、28,000円になってるんですが……

松井：そうでしたか……ただいまお調べいたしますので、お客様のお名前をお願いできますでしょうか。

田中：田中です。

松井：田中様ですね。恐れ入りますが、このままで少々お待ちください。
（電話を保留にする）

🎧26
松井：お待たせいたしました。田中様、申し訳ありません。こちらのお部屋は、時期によって3段階の料金設定になっておりまして……25,000円は9月末までのもので、10月以降は28,000円となりますが……

田中：そんなこと聞いてないですよ。パンフレットにだって25,000円と書いてあるじゃないですか。

松井：大変申し訳ございません。パンフレットの下のほうにその旨を記載しておりまして、念のためご予約の際にも料金は確認させていただいているんですが……

田中：こんな小さい字じゃわかんないし、確認なんかされてませんよ。こっちに落ち度はないんだから、25,000円にしてください。

松井：それはちょっと……申し訳ございません。何とかご理解いただけないでしょうか。

田中：納得なんかできるわけないじゃないですか。あなたじゃ話にならないですよ。上の人出してください。

松井：かしこまりました。

🎧 27

松井：それでは申し訳ありませんが、10分ほどお時間をいただけますでしょうか。一度お電話をお切りして、上の者から折り返しお電話させていただきたいと思いますが、よろしいでしょうか。

田中：わかりました。時間ないんだから早くしてくださいよ。

松井：はい。では、恐れ入りますが、お客様のお電話番号をお願いできますでしょうか。

田中：010、1234の5678です。

松井：復唱させていただきます。010、1234の5678、田中様ですね。

田中：はい。

松井：私、フロント係の松井と申します。ご迷惑をおかけして大変申し訳ありませんが、よろしくお願いいたします。では、いったん失礼させていただきます。
（相手が電話を切ってから切る）

<応用練習>

自分の場面で戦略会話1～3を通して話しなさい。

課題4 実戦会話　以下の流れに沿って会話する

携帯電話会社ＥＫ社のお客様サービスセンター担当者のユンさんが、利用客（小林）から苦情の電話を受ける。

立場：ユン(EK社・お客様サービスセンター担当者)　＜　小林(客)

1．電話で苦情を受ける

ユン：電話に出て社名と部署を言う。
小林：ＥＫ社の携帯を利用しているが、確認したいことがあると言う。
ユン：利用してもらっている礼を言い、何か尋ねる。
小林：請求書の金額が違っていると言う。Ｚプランだとかけ放題で2,000円だと聞いたのでプラン変更したのに、請求書の金額が高額だと苦情を言う。
ユン：あいづちを打つ。調べるため客の名前と電話番号を確認する。
小林：名前（小林博）と電話番号（010-3333-3333）を言う。
ユン：復唱し、確認する。少し待ってほしいと言い、電話を保留にする。

2．わびながら自社の立場を説明する

ユン：確認の結果、小林が契約したプランの開始日は９月１日からで、８月分は以前のプランの請求になるのだと伝える。
小林：不満を表す。2,000円のかけ放題だと思ったから料金を気にしないで使っていたのにと怒る。
ユン：謝る。契約書には書いてあり、小林のサインももらっていると丁寧に自社の立場を説明する。
小林：営業所の人からはそんな説明はなかったと反論し、８月分もＺプランにするよう求める。
ユン：できないと丁寧に伝え、理解を求める。
小林：納得できないと言い、ユンでは話にならないと上司を出すよう求める。
ユン：了承する。

3．回答を保留する

ユン：少し時間をもらいたいと頼む。折り返し上司から電話すると伝える。
小林：待てないからすぐに上司に代わるように言う。
ユン：了承し、電話を保留にする。

<課題4　会話例>

🎧28

ユン：はい、ＥＫ社お客様サービスセンターでございます。

小林：わたし、そちらの携帯(けいたい)を利用してる者ですが、ちょっと確認してもらいたくて。

ユン：いつもご利用いただきましてありがとうございます。どういったことでしょうか。

小林：今月の請求書(せいきゅうしょ)が来たんですけど、金額が違ってるんです。Ｚプランだとかけ放題(ほうだい)で一律(いちりつ)2,000円って聞いたからプラン変更したのに、すごい金額になってるんですが。

ユン：そうですか……ただいまお調べいたしますので、お客様のお名前とお電話番号をお願いできますでしょうか。

小林：小林博(ひろし)です。010、3333の3333です。

ユン：コバヤシヒロシ様、010、3333の3333ですね。ありがとうございます。それでは恐(おそ)れ入(い)りますが、このままで少々お待ちください。（電話を保留(ほりゅう)にする）

🎧29

ユン：お待たせいたしました。小林様、ただいま確認いたしましたところ、小林様がご契約(けいやく)のＺプランのご利用開始日ですが、９月１日からになっておりまして……８月のご利用分につきましては、以前のプランでのご請求となっておりますが…

小林：ええー、そんなこと知りませんよ。こっちは一律(いちりつ)2,000円だと思うから、料金気にしないで使ってたんです。これじゃ詐欺(さぎ)じゃないですか。

ユン：大変申し訳ありません。あの、契約書(けいやくしょ)にはそのことを記載(きさい)しておりまして、お客様のサインもいただいておりますので……

小林：契約書(けいやくしょ)っていいますけど、そっちの営業所の人からそんな説明聞いてないんだから。８月分もＺプランにしてくださいよ。

ユン：それは……申し訳ございません。何とかご理解いただけませんでしょうか。

小林：到底納得(とうていなっとく)できませんね。あなたじゃ話にならないから、上の人に代わってください。

ユン：かしこまりました。

🎧30

ユン：それでは申し訳ありませんが、少しお時間をいただけますでしょうか。一度お電話をお切りして、上の者から改めてお話しさせていただきたいと存じますが、よろしいでしょうか。

小林：そんなの待ってらんないから、すぐ代わって。こっちも暇(ひま)じゃないんだから。

ユン：承知いたしました。では、少々お待ち下さい。（電話を保留(ほりゅう)にする）

課題5 評価する

以下の10項目について評価してみよう。
A：よい　　B：もう少し努力が必要（その理由）

1. 電話で苦情を受ける
   【ユン】日頃の利用について礼を言ってから用件を聞いているか。　　　　　（　　）
   【小林】自分の立場を説明してから、用件を述べているか。　　　　　　　　（　　）
   【ユン】あいづちを打ち、前置き表現を使って、客の名前と電話番号を聞いているか。
   　　　　電話番号の確認、電話を保留にする言い方は適切か。　　　　　　　（　　）

2. わびながら自社の立場を説明する
   【ユン】待たせたことをまずわびてから、状況を丁寧に説明しているか。文末は適切
   　　　　か。　　　　　　　　　　　　　　　　　　　　　　　　　　　　　（　　）
   【小林】驚き、不満を表し、反論や自分の立場をはっきり述べているか。　　（　　）
   【ユン】わびてから自社の立場を説明し、適切に理解を求めているか。　　　（　　）
   【小林】きちんと要求を述べているか。　　　　　　　　　　　　　　　　　（　　）

3. 回答を保留する
   【ユン】丁寧に返事をしてから、前置き表現を使って回答を保留しているか。
   　　　　　　　　　　　　　　　　　　　　　　　　　　　　　　　　　　　（　　）

● 全体を通して
   【ユン】全体の流れの中であいづちをタイミングよく打っているか。敬語は適切か。
   　　　　　　　　　　　　　　　　　　　　　　　　　　　　　　　　　　　（　　）
   【ユン】申し訳ないという様子が言い方に表れているか。　　　　　　　　　（　　）

第5課
個人客からの苦情（2）上司に引き継ぐ

商品やサービスへの不満など個人客から苦情（クレーム）を受けた場合、状況によっては上司に引き継ぐことも必要になってきます。この課では、会社の信用を損なうことなく問題を解決するための戦略と効果的な表現を学習します。

課題1　ロールプレイにチャレンジ

ホテルブリットのフロント係の松井さんは宿泊客（田中）から苦情の電話を受けたが、客が納得しなかったので、課長のヤコブセンさんに事情を話し、対応を頼む。課長は松井さんに代わって客の対応にあたる。

立場：松井（ホテルブリット・フロント係）　＜　ヤコブセン課長（上司）　＜　田中（客）

1. **苦情を言ってきた客を上司に引き継ぐ**
   松井：仕事中の上司に声をかける。
   課長：返事をする。
   松井：客からクレームの電話があったと前置きして、（パンフレットを見せながら）9月料金だと思ったから25,000円でやってほしいと言われていると言う。説明したが、客は納得せず、上司を出せと言っていると言う。それで、10分後に改めて電話をすることになっていると状況を説明し、対応を依頼する。
   課長：了承する。
   松井：客の名前を伝え、電話番号のメモを渡す。引き継ぎのあいさつをする。
   課長：返事をする。

2. **電話でのあいさつ→わびながら自社の立場を説明する**
   課長：客に電話をかけて、相手を確認する。
   田中：返事をする。
   課長：ホテル名・部署（フロントオフィス課）・役職・名前を言う。待たせたことを謝り、今話してもいいか相手に尋ねる。
   田中：大丈夫だと言う。
   課長：担当者の失礼を謝る。

田中：不満を言う。

課長：謝ってから、パンフレットの料金の記載がわかりにくいという指摘に対し、担当部署に話をして今後改めるよう約束する。もう一度謝る。

田中：了承する。

3. 善後策を提示し、理解を求める→終わりのあいさつ

田中：25,000円でやってくれるのか聞く。

課長：ほかの客からも記載どおりの料金をもらっていると説明し、10月料金の28,000円でお願いしたいと理解を求める。

田中：不満を言う。

課長：迷惑をかけたおわびに、部屋で利用した飲み物の代金を客のクレジットカードに返金することを提案する。それで許してほしいと頼む。

田中：不満だが、了承する。

課長：礼を言い、反省を述べて終わりのあいさつをする。

課題1：ロールプレイにチャレンジ

課題2 戦略会話に沿ってスムーズに話す

戦略会話1 苦情を言ってきた客を上司に引き継ぐ

立場：A（担当者） ＜ C（上司）　🎧31

A1：課長、今よろしいでしょうか。
C1：何？
A2：実は、お客様からクレームの電話がありまして、これなんですが……（パンフレットや契約書など問題になっているものを見せる）＿＿＿＿①＿＿＿＿と……ご説明したんですが、ご納得いただけなくて……上司を出せとおっしゃっているんです。それで、＿＿＿＿②＿＿＿＿。→苦情内容と状況を述べる
　　申し訳ありませんが、お願いできますでしょうか。
C2：ん、わかった。
A3：お客様のお名前は（　客の名前　）様で、お電話番号はこちらです。（メモを渡す）
　　よろしくお願いします。
C3：はい。

下の表現を使って戦略会話を完成させなさい。

---
①9月料金だと思ったから25,000円でやってほしい／
　紹介キャンペーン終了後の契約なんですが、期間中の紹介なのでキャッシュバックしろ／
　一度使った化粧品を返品したい
②10分後に改めてお電話することになっているんですが……／
　いったん電話を切ってお待ちいただいている状況です／
　折り返しこちらからお電話して、ご説明すると申し上げました

<練習> 「動詞 なくて」と「動詞 ないで」

適切なほうを選びなさい。両方適切な場合もあります。

1) a：どう？　例のプロジェクト。
   b：それが、予算が（　足りなくて・足りないで　）困ってるんですよ。
2) a：まだ終わりそうもないんですけど……
   b：終わらないんじゃあ、しょうがない。昼ごはんを（　食べなくて・食べないで　）やるしかないね。
3) a：今回の人事は予想外だったなあ。
   b：まったく。あの田中さんが昇進（　しなくて・しないで　）、佐藤さんが昇進したんだから。
4) a：あれ、時間でしょ。行かないの？
   b：課長に言われたんだ。会議に（　出なくて・出ないで　）、報告書、先に上げろって。
5) ［ファックスの前で］
   a：それ、お客さんが書いた書類では？
   b：ええ、代理店に送ってほしいと頼まれて……
   a：だめだよ。ファックスは（　使わなくて・使わないで　）、郵便で送って。

> **ここがポイント！**
>
> 「なくて」：理由や原因　1)
> 「ないで」：①後ろに続く文の状況説明　2)・4)
> 　　　　　②手段や方法を述べるとき　5)
> 両方使える場合：二つのことを並べて比べるとき　3)
>
> 【解答】1) 足りなくて　2) 食べないで　3) 両方可
> 　　　　4) 出ないで　5) 使わないで

<応用練習>

適切な表現を使いながら、自分の場面で戦略会話1を作りなさい。

戦略会話2　電話でのあいさつ→わびながら自社の立場を説明する

立場：C（上司）　＜　B（客）

C4：（　客の名前　）様でいらっしゃいますでしょうか。
B1：はい。
C5：私、（　自社名・部署・役職　）の（　名前　）と申します。＿＿＿＿①＿＿＿＿。
　　あの、今、＿＿＿＿②＿＿＿＿。→待たせたことをわびて相手の都合を聞く
B2：どうぞ。
C6：先ほどは担当の者が失礼いたしました。
B3：＿＿＿＿③＿＿＿＿。
C7：大変申し訳ございませんでした。あの、それで＿＿＿＿④＿＿＿＿でございますが、＿＿＿＿⑤＿＿＿＿ようにいたします。ご迷惑をおかけして申し訳ございませんでした。→反省・謝罪する
B4：それはわかりました。

下の表現を使って戦略会話を完成させなさい。

①お待たせいたしまして申し訳ございません／
　お電話が遅くなりまして申し訳ございません／
　大変お待たせいたしまして申し訳ございません
②お話しさせていただいてもよろしいでしょうか／お話ししてもよろしいでしょうか／
　お時間よろしいでしょうか
③まったくなってないですよ／もっとちゃんとやってもらわないと／
　ずいぶんいいかげんですね
④パンフレットの料金の記載がわかりにくいとのご指摘／先ほどのお話／
　ご返品なさりたいとのこと
⑤担当部署に話をいたしまして、今後は改める／
　今後はもっとわかりやすくご説明する／今後は十分ご説明をする

戦略会話3　善後策を提示し、理解を求める→終わりのあいさつ

立場：C（上司）　＜　B（客）　🎧33

B4：で、＿＿＿＿＿①＿＿＿＿＿んですか。→要求に応じるのか問いただす

C8：それは……私どもといたしましても、＿＿＿＿②＿＿＿＿ものですから……

　　＿＿＿＿③＿＿＿＿ことでご理解いただきたいのですが……

　　→自社の立場を説明し、理解を求める

B5：＿＿＿＿④＿＿＿＿。→不満を述べる

C9：それで、あの、＿＿＿＿⑤＿＿＿＿ということで＿＿＿＿⑥＿＿＿＿いただけないでしょうか。→善後策を提示し、理解を求める

B6：……しょうがない。それでいいですよ。

C10：ありがとうございます。ご迷惑をおかけして申し訳ありませんでした。

　　＿＿＿＿⑦＿＿＿＿ので、どうか今後ともよろしくお願いいたします。

　　→反省をして、今後のつきあいを踏まえた終わりのあいさつをする

　（相手が電話を切ってから切る）

下の表現を使って、戦略会話を完成させなさい。

①25,000円でやってくれる／どうしてくれる／どうしていただける

②ほかのお客様からも記載どおりの料金をいただいている／
　期間中の入会に限らせていただいている／ほかのお客様のこともある

③10月料金の28,000円という／そのような／規定どおりという

④冗談じゃないですよ／何言ってるんですか／
　おたくからはずいぶん買ってるんですよ

⑤代わりにと言ってはなんですが、ご迷惑をかけたおわびに、お部屋でご利用になったお飲み物の代金を、お客様のクレジットカードに返金させていただく／
　お客様には1回分の無料レッスン券をさしあげる／
　今回に限り、送料はお客様にご負担いただいて、返品に応じさせていただく

⑥ご容赦／お許し／ご勘弁

⑦以後このようなことのないようにいたします／
　これからはこのようなことのないよう気をつけます／
　これからもお客様へのサービス向上に努めてまいります

<練習1> 電話でよく使う前置き

（　　　　）に入る適切な前置きを考えなさい。3）はそれぞれの場合にふさわしいものを考えなさい。

1) a：では、そういうことでよろしくお願いいたします。
   b：わざわざご連絡ありがとうございました……あ、すみません、（　　　　　）恐縮ですが、カルロ部長がいらっしゃいましたら、替わっていただけないでしょうか。
   a：はい、少々お待ちください。

2) a：では明日、お待ちしておりますので。
   b：はい、よろしくお願いします。あの、それで（　　　　　）申し訳ないんですが、今回の件を企画部のガルシアさんにもお伝え願えませんでしょうか。
   a：かしこまりました。

3) [部下が外出中の上司に／部下が出張中の上司に／部下が夜遅く上司に]
   部下：（　　　　　）申し訳ありません、お客様から問い合わせの電話が入りまして、確認したいことがあるんですが……今、よろしいでしょうか。
   上司：ああ、何ですか。

> **！ ここがポイント！**
>
> 電話で相手に何か頼むときには必ず前置きを言おう。顔の見えない電話では、会って話すとき以上に注意が必要だ。前置きがないと相手を戸惑わせ、失礼な印象になる。「すみませんが」「申し訳ありませんが」以外にもビジネス特有のいろいろな前置き表現を覚えて実際に使ってみよう。
>
> 【解答例】1）いただいたお電話で　2）お使いだてして
> 3）外出中の上司に…出先まで追いかけまして
> 　　出張中の上司に…出張先まで　夜遅く上司に…夜分

<練習２> 「なん〜」を使った前置き

次の下線部はどういう意味で使われているか説明しなさい。
1）雨ですね。こんな傘でなんですが、よかったらお持ちください。
2）いつもいつもでなんなんですが、今回の融資もなんとかお願いできないでしょうか。
3）これ、お礼といってはなんですが、ぜひお納めください。
4）[後輩が先輩に] お言葉を返すようでなんなんですが、上に相談しないで話を進めるというのはちょっとまずいんじゃないでしょうか……
5）立ち話もなんですから、お茶でも飲みながら話しませんか。
6）こんなこと、わたしが言うのもなんですが、小川さん、部長とうまくいっていないようなんですよ。

> **❗ ここがポイント！ 〜「なん〜」を使った前置き表現〜**
>
> ビジネスでは、言わなくても相手にわかることをわざわざ言うと、くどい印象を与えてしまうことがある。
> そんなときに使う便利な表現が「なんですが／から」である。
> 最近では「なんなんですが」と使う人も多い。
>
> 【解答例】 1）たいした傘ではないので失礼かもしれませんが
> 　　　　　 2）いつもお願いばかりで申し訳ないのですが
> 　　　　　 3）お礼というほどの（きちんとした）ものではないのですが
> 　　　　　 4）反論するようで申し訳ないのですが
> 　　　　　 5）立って話をするのも落ち着かないので
> 　　　　　 6）こんなことを私が言う立場にはないのですが

<応用練習>

謝罪・反省表現を交えながら相手を納得させられるような善後策を提示し、自分の場面で戦略会話2、3を作りなさい。

課題3 戦略 会話1〜3を通して話す

🎧31

松井：課長、今よろしいでしょうか。

課長：何？

松井：実は、お客様からクレームの電話がありまして、これなんですが……（パンフレットを見せる）9月料金だと思ったから25,000円でやってほしいと……ご説明したんですが、ご納得いただけなくて……上司を出せとおっしゃっているんです。それで、10分後に改めてお電話することになっているんですが……申し訳ありませんが、お願いできますでしょうか。

課長：ん、わかった。

松井：お客様のお名前は田中様で、お電話番号はこちらです。（メモを渡す）よろしくお願いします。

課長：はい。

🎧32

（客に電話をかける）

課長：田中様でいらっしゃいますでしょうか。

田中：はい。

課長：私、ホテルブリットフロントオフィス課課長のヤコブセンと申します。お待たせいたしまして申し訳ございません。あの、今、お話しさせていただいてもよろしいでしょうか。

田中：どうぞ。

課長：先ほどは担当の者が失礼いたしました。

田中：まったくなってないですよ。

課長：大変申し訳ございませんでした。あの、それでパンフレットの料金の記載がわかりにくいとのご指摘でございますが、担当部署に話をいたしまして、今後は改めるようにいたします。ご迷惑をおかけして申し訳ございませんでした。

田中：それはわかりました。

🎧33

田中：で、25,000円でやってくれるんですか。

課長：それは……私どもといたしましても、ほかのお客様からも記載(きさい)どおりの料金をいただいているものですから……10月料金の28,000円ということでご理解いただきたいのですが……

田中：冗談(じょうだん)じゃないですよ。

課長：それで、あの、代わりにと言ってはなんですが、ご迷惑(めいわく)をかけたおわびに、お部屋でご利用になったお飲み物の代金を、お客様のクレジットカードに返金(へんきん)させていただくということでご容赦(ようしゃ)いただけないでしょうか。

田中：……しょうがない。それでいいですよ。

課長：ありがとうございます。ご迷惑をおかけして申し訳ありませんでした。以後このようなことのないようにいたしますので、どうか今後ともよろしくお願いいたします。（相手が電話を切ってから切る）

＜応用練習＞

自分の場面で戦略(せんりゃく)会話1〜3を通して話しなさい。

課題4 実戦会話　以下の流れに沿って会話する

携帯電話会社ＥＫ社のお客様サービスセンター担当者のユンさんが、利用客（小林）から苦情の電話を受けたが、相手が納得しなかったので、課長のチェさんに事情を話して対応を頼む。課長はユンさんに代わって客の対応にあたる。

立場：ユン(EK社・お客様サービスセンター担当者)　＜　チェ課長(上司)　＜　小林(客)

1. 苦情を言ってきた客を上司に引き継ぐ
   ユン：上司に至急の客だと言い、今、話してもいいか許可を求める。
   課長：どうしたかと聞く。
   ユン：クレームだと言う。契約書を見せながら、8月も一律2,000円にしてほしいと言っていると言う。説明したが納得してもらえないので、電話を代わってほしいと頼む。
   課長：了承する。

2. 電話でのあいさつ→わびながら自社の立場を説明する
   課長：電話に出て、待たせたことを謝る。自分の部署・役職と名前を言い、もう一度謝る。
   小林：不満を言い、営業所の社員教育はどうなっているのかと文句を言う。
   課長：説明が行き届かなかったと謝り、指摘について礼を言う。営業所長に伝えて社員教育の徹底を図ると言い、もう一度謝る。
   小林：念を押す。

3. 善後策を提示し、理解を求める→終わりのあいさつ
   小林：8月分の請求はZプランになるのか確認する。
   課長：謝る。サインをもらっているので契約書どおりでお願いしたいと理解を求める。
   小林：怒る。
   課長：謝ってもう一度理解を求める。
   小林：解約すると言う。
   課長：再度検討するので少し時間をもらいたいと頼む。
   小林：一応納得し、できるだけ早く連絡するよう言う。
   課長：返事をする。後で改めて電話をすると言い、丁寧に終わりのあいさつをする。

<課題4　会話例>

🎧34

ユン：課長、至急のお客様なんですが、今、よろしいでしょうか。

課長：どうしたんですか。

ユン：クレームで、これなんですが……（契約書を見せる）8月も一律2,000円にしてほしいとおっしゃっていて、ご説明したんですが、ご納得いただけなくて……申し訳ありませんが、代わっていただけますでしょうか。

課長：わかりました。

🎧35

（客の電話に出る）

課長：小林様、大変お待たせいたしまして申し訳ございません。私、お客様サービスセンターの課長をしておりますチェと申します。このたびは申し訳ございません。

小林：ほんとにひどい話ですよ。おたくの営業所の社員教育、どうなってんですか。

課長：小林様、このたびはご説明が行き届かず、本当に申し訳ありませんでした。また、貴重なご指摘をありがとうございます。今回の不手際につきましては、早速営業所長に伝えまして、社員教育の徹底を図るようにいたします。ご迷惑をおかけして申し訳ございませんでした。

小林：そうお願いしますよ。

🎧36

小林：それで8月分の請求はZプランにしてもらえるんですか。

課長：大変申し訳ございません。私どもといたしましても、ご契約書のほうに小林様のサインをいただいておりますものですから、ご契約書のとおりということでご理解いただきたいのですが……

小林：でも、それじゃあ納得できないって言ってんですよ。人の話、全然聞いてないじゃないですか。

課長：申し訳ありません。どうかご理解のほどお願いいたします。

小林：そんなに物わかりが悪いならもういいですよ。解約しますから。

課長：あの、小林様、それでは、何らかの対処ができないか再度検討させていただきますので、少しお時間をいただけないでしょうか。

小林：わかりました。できるだけ早く連絡くださいよ。

課長：かしこまりました。では後ほど改めてお電話させていただきますので。ご迷惑をおかけいたしますが、よろしくお願いします。

（相手が電話を切ってから切る）

課題 5 評価する

以下の10項目について評価してみよう。
A：よい　　B：もう少し努力が必要（その理由）

1. 苦情を言ってきた客を上司に引き継ぐ
    【ユン】適切な前置き表現を使って上司を呼び止め、わかりやすく事情説明しているか。　　　　　　　　　　　　　　　　　　　　　　　　　　　　（　　）
    【ユン】上司に電話を代わってもらう言い方は適切か。　　　　　　（　　）

2. 電話でのあいさつ→わびながら自社の立場を説明する
    【課長】待たせたことを丁寧に謝ってから、自分の部署・役職と名前を言っているか。
    　　　　　　　　　　　　　　　　　　　　　　　　　　　　　　　（　　）
    【課長】今回の件について謝り、客からの指摘に礼を言い、反省を述べているか。
    　　　　　　　　　　　　　　　　　　　　　　　　　　　　　　　（　　）

3. 善後策を提示し、理解を求める→終わりのあいさつ
    【小林】相手に自分が要求したことを問いただす言い方は適切か。　（　　）
    【課長】まず謝ってから、自社の立場を述べ、理解を求めているか。（　　）
    【課長】適切に善後策を提示し、理解を求めているか。　　　　　　（　　）
    【課長】話の切り上げ方、終わりのあいさつは適切か。客のあとに電話を切っているか。　　　　　　　　　　　　　　　　　　　　　　　　　　　　　　（　　）

● 全体を通して
    【課長】相手の話をよく聞いて、タイミングよくあいづちを打っているか。敬語は適切か。　　　　　　　　　　　　　　　　　　　　　　　　　　　　　　（　　）
    【課長・小林】全体の流れはスムーズか。　　　　　　　　　　　　（　　）

第6課
トラブル処理（1）

取引が契約どおりに行われていないなどの、取引先からのクレーム対応での基本は、相手の話を十分に聞いて、問題点を把握し、自社の事情も説明しながら速やかに解決を図ることです。また、クレームをつける場合も、相手の立場に配慮しながら自社の要求を伝えることが大切です。この課では、相手の意をくんだ受け答えの戦略と効果的な表現を学習します。

課題1　ロールプレイにチャレンジ

コンピュータ情報処理会社・エースソリューションの営業1課のソンさんは、取引先のミツバ商事システム部の伊藤さんから、納入したシステムについてのクレームを電話で受ける。

立場：ソン（エースソリューション営業1課・担当者）　＜　伊藤（ミツバ商事システム部・取引先）

1. 電話でのあいさつ→トラブルの発生
   ソン：電話を取り社名・部署を言う。
   伊藤：社名と名前を言う。
   ソン：自分も名前を言い、あいさつする。
   伊藤：あいさつして、先日納品されたシステムに問題が起きていると言う。

2. 相手に配慮しながらトラブルの内容を尋ねる→問題の詳細を把握し、速やかに対応する
   ソン：問題は何か尋ねる。
   伊藤：今朝から立ち上げたが、情報が反映されないと言う。原因を聞く。
   ソン：謝って、詳しい状況説明を求める。
   伊藤：各支社で売り上げ情報を入力しても本社で確認できない。本社からもデータが送れないと説明する。
   ソン：謝って、試験では問題はなかったと言う。
   伊藤：すぐに来るよう要求し、このままでは発注が滞って欠品が出てしまうと自社の立場を話す。
   ソン：謝る。今から開発担当者と一緒に行って、問題にすぐ対応すると答える。
   伊藤：急がせる。
   ソン：返事をする。

3. おわび→困っている状況を聞く

　　伊藤：待っていたと言う。
　　ソン：謝る。
　　伊藤：早く解決してほしいと訴える。
　　ソン：もう一度謝る。システムの状況を見せてほしいと頼む。
　　伊藤：了承する。

4. 速やかな解決を約束する→終わりのあいさつ

　　伊藤：状況を尋ねる。
　　ソン：もう少し詳しく調べる必要があると言う。急に想定外の負荷がかかったことでシステムに無理が生じたことが原因ではないかと説明する。
　　伊藤：想定外とはどういうことかと聞き返し、この程度の負荷で問題が起こるようでは困ると主張する。
　　ソン：謝る。今日は旧システムに戻して対処したと報告する。今後の対応については一度社に帰り、原因を特定してから検討したいと言う。
　　伊藤：新システム移行を前提に業務計画を立てているので、早く対処してもらわないと業務に支障をきたすと自社の立場を説明する。
　　ソン：もう一度謝る。すぐに調べて報告すると約束する。
　　伊藤：急がせる。
　　ソン：返事をして、辞去する。

課題2 戦略会話に沿ってスムーズに話す

戦略会話1 電話でのあいさつ→トラブルの発生

立場：A（担当者） ＜ B（客）　🎧37

A1：はい、＿＿＿＿＿＿①＿＿＿＿＿＿でございます。

B1：私、＿＿＿＿＿＿②＿＿＿＿＿＿の（　自分の名前　）と申しますが……

A2：どうも（　相手の名前　）さん、（　自分の名前　）です。いつもお世話になっております。

B2：こちらこそお世話になっています。実は、＿＿＿＿＿＿③＿＿＿＿＿＿なんですが、ちょっと＿＿＿＿＿＿④＿＿＿＿＿＿て……　→トラブルが起きたと伝える

下の表現を使って戦略会話を完成させなさい。

---
①エースソリューション営業1課／飯田家具営業本部／ユナイテッド電機法人営業部

②ミツバ商事／新東京ホテル／西田物流

③先日入れていただいたシステム／本日届いたソファー／
　昨日メンテナンスしていただいたコンベア

④困ったことが起きていまし／問題がありまし／トラブっていまし

第6課

戦略会話2　相手に配慮しながらトラブルの内容を尋ねる
→問題の詳細を把握し、速やかに対応する

立場：A（担当者）　＜　B（客）

A3：どういったことでしょうか。
B3：ええ、＿＿＿＿①＿＿＿＿が……＿＿＿＿②＿＿＿＿んでしょうか。
　　→トラブルの内容を説明し、原因を問いただす
A4：ご迷惑をおかけして申し訳ございません。＿＿＿＿③＿＿＿＿か。
　　→わびつつ、詳細な状況説明を求める
B4：はい。＿＿＿＿④＿＿＿＿し……
A5：大変申し訳ありません。＿＿＿＿⑤＿＿＿＿んですが……
　　→わびつつ、自社の立場を説明する
B5：とにかく、至急来ていただけませんか。わたしどもとしても、
　　＿＿＿＿⑥＿＿＿＿ので。→自社の立場を訴える
A6：ご迷惑をおかけして本当に申し訳ありません。＿＿＿＿⑦＿＿＿＿。
　　→わびつつ、至急対応する旨を伝える
B6：ええ、＿＿＿＿⑧＿＿＿＿。→せかす
A7：かしこまりました。
　　（相手が電話を切ってから切る）

下の表現を使って戦略会話を完成させなさい。

①今朝から立ち上げたんですが、情報が反映されないんです／
　ソファーの一部に傷が付いているんですよ。搬入のときには気がつかなかったんです／
　速度調節が働かないんですよ。低速から高速への切り替えがきかないんです

②どういうことな／どうしてこういうことになった／何が原因な

③詳しい状況についてご説明いただけますでしょう／どのような傷でしょう／
　いつごろからでしょう

④各支社で売り上げ情報を入力しても、本社で確認できないんですよ。本社からもデータが送れません／
　背もたれの部分に3センチぐらいの引っかき傷があるんですよ。他にも小さな傷があります／
　昨日のメンテナンスの後からおかしいんですよ。ちょっと変な音もしています

⑤試験では問題はなかった／

弊社では出荷の際に一とおり確認させていただいている／

メンテナンスの報告では特に異常はないということだった

⑥このままでは発注が滞って欠品が出てしまいます／

リニューアルオープンを目前に控えております／業務がストップしています

⑦今から開発担当者とお伺いして、至急対応させていただきます／

早急にお伺いして拝見させていただきます／

今からメンテナンス担当者をつれてそちらに参ります

⑧大至急お願いします／至急頼みますよ／急いでお願いします

<練習> 「こんな・そんな・あんな・どんな」の丁寧な言い方

下線部を丁寧な言い方に変えなさい。

1) a：<u>こんな</u>厳しい状況にあって、これだけの実績を上げられたんですから、大したものですよ。

2) a：送られてきた商品に問題があった場合については、<u>どんな</u>対応をしていただけるんですか。

   b：<u>そんな</u>場合は、当社負担で新しいものと交換させていただきます。

3) a：先日、ニュースになったA社の敵対的買収防衛策ですが、<u>あんな</u>ケースでは株主総会で委任状争奪戦に発展する可能性もあります。

> **❗ ここがポイント！**
>
> 「こんな・そんな・あんな・どんな」を「このような・そのような・あのような・どのような」に言い換えると、改まった印象になる。顧客に説明するときなどには意識して使おう。
>
> 【解答】 1) このような 2) どのような・そのような 3) あのような

<応用練習>

適切な表現を使いながら、自分の場面で戦略会話1、2を続けて作りなさい。

戦略会話3　おわび→困っている状況を聞く

立場：A（担当者）　＜　B（客）

B7：お待ちしていました。
A8：このたびは、ご迷惑をおかけいたしまして申し訳ございません。
B8：いやあ、＿＿＿＿＿＿①＿＿＿＿＿＿……→**困っていることを訴える**
A9：申し訳ありません。早速ですが、＿＿＿＿＿＿②＿＿＿＿＿＿いただけますか。
B9：ええ、お願いします。

下の表現を使って戦略会話を完成させなさい。

①一刻も早く何とかしていただきませんと／大変困っている状況でして／
　どうしようもないんですよ

②システムの状況を実際に拝見させて／問題の部分を見せて／拝見させて

戦略会話4　速やかな解決を約束する→終わりのあいさつ

立場：A（担当者）　＜　B（客）　🎧40

（問題部分を見た後）

B10：それで＿＿＿＿①＿＿＿＿。→状況を尋ねる

A10：ええ、＿＿＿＿②＿＿＿＿が、＿＿＿＿③＿＿＿＿。
　　　→断定を避けて、原因を説明する

B11：＿＿＿＿④＿＿＿＿。→聞き返して、強く反論する

A11：（　わびる　）。＿＿＿＿⑤＿＿＿＿。＿＿＿＿⑥＿＿＿＿が……
　　　→対応策を提示し、理解を求める

B12：わたしどもとしては、＿＿＿＿⑦＿＿＿＿ものですから……
　　　＿＿＿＿⑧＿＿＿＿ので……

A12：はい、（　わびる　）。＿＿＿＿⑨＿＿＿＿。→速やかな解決を約束する

B13：よろしくお願いします。＿＿＿＿⑩＿＿＿＿。→せかす

A13：（　返事をする　）。それでは失礼いたします。

下の表現を使って戦略会話を完成させなさい。

---

①どうですか／どんな感じですか／何とかなりそうですか

②もう少し詳しく調べてみる必要はあります／断定はできません／
　まだ特定はできません

③急に想定外の負荷がかかったことで、システムに無理が生じたことが原因ではない
　かと思われます／
　運送中についたものではないかと見られます／
　電気系統に問題があると考えられます

④想定外というのはどういうことでしょうか。この程度の負荷に耐えられないようで
　は話になりませんよ／
　運送中というのはどういう意味でしょうか。普通ではありえないことですよね／
　電気系統ですか。昨日メンテしたばかりじゃないですか

⑤とりあえず今日のところは、旧システムに戻して対応させていただきました／
　こちらはすぐ引き取らせていただきます／
　ひとまずこのまま低速運転でお使いいただけますでしょうか

課題2：戦略会話に沿ってスムーズに話す

第6課

⑥今後の対応につきましては、一度社に帰りまして、原因の特定をしてから検討させていただきたいと思います／

同じものがご用意できるまでひとまず代わりのソファーをお使いいただきたいと思います／

今からすぐに技術者を来させますので、しばらくご辛抱をお願いしたいんです

⑦既に新システム移行を前提に業務計画を立てている／

このソファーで全体のインテリアを考えている／これでは仕事がまわらない

⑧早くしていただかないと、全社的に業務に支障をきたすことになります／

代わりのものといってもあまり違うと困ります／

一刻も早く復旧しないと作業がパンクしてしまいます

⑨早急にお調べして、きちんとしたご報告をさせていただきます／

できるだけ早くこちらと同じものをご用意いたします／

できるだけ早く直しますので

⑩一両日中にもご一報をお待ちしていますよ／とにかく早く頼みますよ／

急いでくださいね

<練習1> 「思われる」「考えられる」「見られる」

どんな違いがあるか考えなさい。

1) a 今後、省力化がますます進むものと思います。
   b 今後、省力化がますます進むものと思われます。
2) a 建物の老朽化が事故の原因と見ています。
   b 建物の老朽化が事故の原因と見られています。
3) a 原油高騰のあおりを受けたことが売り上げに響いたと考えます。
   b 原油高騰のあおりを受けたことが売り上げに響いたと考えられます。

> **❗ ここがポイント！**
>
> 「思われる」「考えられる」「見られる」などは会議などで見解を述べるときによく使われる表現だが、その見解が客観的な印象を与える効果がある。ただし、使い過ぎると無責任な印象を与えるので注意しよう。

<練習２> 「とりあえず」と「一応」の使い方

適切なほうを選びなさい。両方適切な場合もあります。

1）［上司が部下に］ほかはみんな手が放せないから、（　とりあえず・一応　）先に進めといて。
2）会議室の準備ができるまで（　とりあえず・一応　）こちらでお待ちください。
3）上司：あれ、君のところの一番上の息子さん、今年受験じゃなかったっけ？
　　部下：ええ、おかげさまで（　とりあえず・一応　）志望の大学に入りまして……
4）皆さんすでにご承知のことと思いますが、（　とりあえず・一応　）お知らせしておきます。
5）［飛び込みで訪問してきた客に断るとき］わかりました。お話だけは（　とりあえず・一応　）承っておきます。

> **● ここがポイント！**
>
> 「とりあえず」：本格的な対応はどうするか分からないが、応急の処置としてそうする。1）・2）
> 「一応」：完全とはいえないが、最低の要件を満たしている様子。そこから、次のような意味合いで使われることがある。
> 　　①「形式的ではあるが」「一とおり」4）　②謙遜の気持ちを表す　3）
> ただし、「仮にそうしておく」という意味の場合は両方使える。5）
> 【解答】1）とりあえず　2）とりあえず　3）一応　4）一応　5）両方

<応用練習>

適切な表現を使いながら、自分の場面で戦略会話3、4を続けて作りなさい。

課題3 戦略 会話1～4を通して話す

🎧37

ソン：はい、エースソリューション営業1課でございます。
伊藤：私、ミツバ商事の伊藤と申しますが……
ソン：どうも伊藤さん、ソンです。いつもお世話になっております。
伊藤：こちらこそお世話になっています。実は、先日入れていただいたシステムなんですが、ちょっと困ったことが起きていまして……

🎧38

ソン：どういったことでしょうか。
伊藤：ええ、今朝から立ち上げたんですが、情報が反映されないんですが……どういうことなんでしょうか。
ソン：ご迷惑をおかけして申し訳ございません。詳しい状況についてご説明いただけますでしょうか。
伊藤：はい。各支社で売り上げ情報を入力しても、本社で確認できないんですよ。本社からもデータが送れませんし……
ソン：大変申し訳ありません。試験では問題はなかったんですが……
伊藤：とにかく、至急来ていただけませんか。わたしどもとしても、このままでは発注が滞って欠品が出てしまいますので。
ソン：ご迷惑をおかけして本当に申し訳ありません。今から開発担当者とお伺いして、至急対応させていただきます。
伊藤：ええ、大至急お願いします。
ソン：かしこまりました。（相手が電話を切ってから切る）

🎧39

（ミツバ商事にて）

伊藤：お待ちしていました。
ソン：このたびは、ご迷惑をおかけいたしまして申し訳ございません。
伊藤：いやあ、一刻も早く何とかしていただきませんと……
ソン：申し訳ありません。早速ですが、システムの状況を実際に拝見させていただけますか。
伊藤：ええ、お願いします。

🎧40

(問題部分を見た後)

伊藤：それでどうですか。

ソン：ええ、もう少し詳しく調べてみる必要はありますが、急に想定外の負荷がかかったことで、システムに無理が生じたことが原因ではないかと思われます。

伊藤：想定外というのはどういうことでしょうか。この程度の負荷に耐えられないようでは話になりませんよ。

ソン：本当に申し訳ありません。とりあえず今日のところは、旧システムに戻して対応させていただきました。今後の対応につきましては、一度社に帰りまして、原因の特定をしてから検討させていただきたいと思いますが……

伊藤：わたしどもとしては、既に新システム移行を前提に業務計画を立てているものですから……早くしていただかないと、全社的に業務に支障をきたすことになりますので……

ソン：はい、重ね重ね申し訳ありません。早急にお調べして、きちんとしたご報告をさせていただきます。

伊藤：よろしくお願いします。一両日中にもご一報をお待ちしていますよ。

ソン：承知いたしました。それでは失礼いたします。

<応用練習>

自分の場面で戦略会話1〜4を通して話しなさい。

課題4　実戦会話　以下の流れに沿って会話する

みなと電機営業部の藤田さんは、取引先である北東設備工業のシュルツさんから、北東設備を通して東都セントラルに納入した空調設備の支払い延期について電話で依頼される。

立場：藤田（みなと電機営業部・担当者）　＝　シュルツ（北東設備工業・取引先）

1. 電話でのあいさつ→トラブルの発生

    藤田：電話に出て、社名・部署を言う。

    シュルツ：社名と名前を言う。

    藤田：名前を言い、あいさつする。

    シュルツ：あいさつを返し、今話してもいいか聞く。

    藤田：了承する。

    シュルツ：藤田の会社から仕入れた東都セントラルビル用の空調設備一式の件で相談があると切り出す。

2. 相手に配慮しながらトラブルの内容を尋ねる→問題の詳細を把握し、速やかに対応する

    藤田：話を促す。

    シュルツ：昨日、東都セントラルから一部支払いの延期の連絡があった。そのため自社から藤田の会社への支払いも延ばしたいと言う。

    藤田：話を促す。

    シュルツ：今月末に契約額の半分を払い、残りを2か月後の4月末に払いたいと言う。

    藤田：難色を示す。契約上の支払い期限は一括で今月末だったはずだと言う。

    シュルツ：今回は複雑な事情があると言う。

    藤田：話を促す。

    シュルツ：知っていると思うが、今回は藤田の会社の製品を自社を通して東都セントラルビルに納入したが、据え付け工事が終わった後で製品に欠陥が見つかり、約半分の製品の部品を取り替えた。このことがシュルツの会社から東都への納入遅延と判断された。実際に建設工事の遅れにも影響したと事情を説明する。

3．困っている状況を聞く

　　　藤田：部品交換の時点ではそういう話はなかったし、期末をまたいで売掛金が残ることは困るので、当初の条件どおりに決済してほしいと頼む。
シュルツ：経理からいろいろ言われて自分も困っていると言う。藤田の会社で相談してほしいと言う。
　　　藤田：理解を示すが、返事を保留する。
シュルツ：礼を言う。
　　　藤田：一つ聞きたいことがあると言う。部品交換が建設工事の遅れにどの程度影響を与えたか、説明した資料があるか聞く。
シュルツ：あると答える。東都セントラルからの書状に書いてあるので、それをファックスすると言う。
　　　藤田：頼む。
シュルツ：了承して、念を押す。

4．速やかな解決を約束する→終わりのあいさつ

　　　藤田：ファックスを見てから社内で至急相談して、改めて電話すると言う。
シュルツ：了承する。ファックスをすぐに送ると言い、終わりのあいさつをする。
　　　藤田：あいさつを返す。

課題4：実戦会話　以下の流れに沿って会話する

<課題4　会話例>

🎧41

藤田：はい、みなと電機営業部でございます。
シュルツ：私、北東設備工業のシュルツと申しますが。
藤田：ああ、シュルツさん、藤田です。いつもお世話になっております。
シュルツ：こちらこそお世話になっております。あの、今よろしいでしょうか。
藤田：ええ、どうぞ。
シュルツ：実は、御社から仕入れた東都セントラルビル用の空調設備一式の件なんですが、ちょっとご相談したいことがありまして……

🎧42

藤田：どのようなことでしょう。
シュルツ：ええ、実は昨日、先方から一部支払いの延期の連絡がありまして……恐縮ですが、私どもから御社へのお支払いのほうも、延ばしていただけないかと思いまして。
藤田：といいますと……？
シュルツ：はい、あの、今月末に契約額の半分をお支払いし、残りを2か月後の4月末にお願いできないかと……
藤田：いやあ、それは……困りましたね。契約上の支払い期限は、確か一括で、今月末でしたよね。
シュルツ：はい。ただ、今回はちょっと複雑な事情がございまして。
藤田：どういうことでしょう。
シュルツ：はい、ご存知のように、今回は御社の製品を私どもにお納めいただき、それを当社が発注元である東都セントラルビルに納入したわけですが、据え付け工事が完了した後で製品に欠陥が見つかりまして、約半分の製品について、部品を取り替えたという経緯がありましたよね。これが私どもから発注元への納入遅延と見なされまして……実際、建設工事の遅れにも多少影響してるもんですから。

🎧43

藤田：そうですか……ただ、部品交換の時点ではそういうお話はなかったですし……それに、期末をまたいで売掛金が残るというのもちょっと……何とか当初の条件どおりでご決済いただけませんか。

シュルツ：うーん、わたしも経理のほうから突っつかれて困ってるんですよ。できましたら、御社でご相談願えないでしょうか。

藤田：そうですね……わかりました。一応承っておきます。

シュルツ：ありがとうございます。

藤田：一つお聞きしたいんですが、当社による部品交換が実際、建設工事の遅れにどの程度の影響を与えたのか、そのあたりの事情について何か説明した資料はあるでしょうか。

シュルツ：ええ。発注元から送られてきた書状に書かれてますので、とりあえずファックスで送らせていただきます。

藤田：よろしくお願いします。

シュルツ：かしこまりました。何とかよろしくお願いします。

🎧44

藤田：まずは、それを拝見してから社内で至急相談しまして、改めてお電話させていただきます。

シュルツ：わかりました。では、すぐお送りしますのでよろしくお願いします。

藤田：はい。では、失礼します。

課題5 評価する

以下の10項目について評価してみよう。
　　A：よい　　B：もう少し努力が必要（その理由）

1. 電話でのあいさつ→トラブルの発生
   【藤田・シュルツ】電話でのあいさつは適切か。　　　　　　　　　　　（　　　）
   【シュルツ】今話してもいいかと相手の都合を聞いてから、何の件か切り出しているか。敬語、文末の表現は適切か。　　　　　　　　　　　　　　　　　　（　　　）

2. 相手に配慮しながらトラブルの内容を尋ねる→問題の詳細を把握し、速やかに対応する
   【藤田】話を促す言い方は適切か。いろいろな表現を使っているか。　　（　　　）
   【シュルツ】適切な表現を使って切り出し、事情説明と依頼の内容をわかりやすく述べているか。敬語、文末の表現、言いよどみは適切か。　　　　　　　（　　　）
   【藤田】言いよどんで困った様子を表しているか。契約内容の確認の言い方は適切か。　　　　　　　　　　　　　　　　　　　　　　　　　　　　　　　（　　　）
   【シュルツ】一度相手を受け入れてから、わかりやすく経緯を説明し、婉曲に反論しているか。敬語、文末の表現は適切か。　　　　　　　　　　　　　（　　　）

3. 困っている状況を聞く
   【藤田】あいづちを打ってから、自社の立場を述べ、理解を求めているか。（　　　）
   【シュルツ】あいづちを打ってから、相手同様困っている自社の立場を訴え、お願いしているか。敬語は適切か。　　　　　　　　　　　　　　　　　　（　　　）
   【藤田】質問の切り出しや言い方は適切か。
   　　　　　　　　　　　　　　　　　　　　　　　　　　　　　　　　　（　　　）

4. 速やかな解決を約束する→終わりのあいさつ
   【藤田・シュルツ】話を切り上げる言い方や、終わりのあいさつは適切か。（　　　）

第7課
トラブル処理（2）上司への報告

取引先とのトラブル解決にあたっては、上司へ報告しながら質問に答えたり、上司からの指示を仰ぐことが必要です。また、問題解決の過程でその対応が不十分だった場合、上司から注意を受けることもあります。この課ではそうした一連のやりとりのための戦略と効果的な表現を学習します。

課題1　ロールプレイにチャレンジ

コンピュータ情報処理会社・エースソリューションの営業担当ソンさんは、取引先のミツバ商事システム部の伊藤さんから、納入したシステムについてのクレームを電話で受ける。その後、出先から戻って来た課長に報告するが、一連の対応について課長から注意・指示される。

立場：ソン（エースソリューション営業1課・担当者）　＜　課長（上司）

1．切り出す→上司に報告する

（エースソリューション営業1課で、外出先から戻ってきた課長に）

ソン：戻ってきた課長にあいさつし、今話せるか切り出す。

課長：返事をして、何かと聞く。

ソン：報告だと前置きして、朝一番でミツバ商事の伊藤からシステムがうまく稼働しないというクレームがあったと言う。

課長：どういうことかと話を促す。

ソン：支社で入力したデータが本社に反映しない。開発担当者に頼んで一緒に行ったら予想以上の負荷がかかったことが原因ではないかということだった。旧システムに戻して対応したが、早く新システムに戻さないと業務が進まないと怒っている様子だったと言う。

課長：相手が怒るのはもっともだと言う。

ソン：開発部と今日中に対応を考えたいと申し出る。開発部長に時間を取ってもらうように話してあるとつけ加える。

課長：了承する。

2. 上司から注意・指示を受ける
　課長：早い対応をほめるが、もう少し早く報告するよう注意する。
　ソン：謝る。対応を早くすることだけ考えていたと言い訳する。
　課長：理解を示すが、携帯に電話できたはずだと言い、先方とは長いつきあいだから担当者だけで済む話ではないと続ける。
　ソン：謝る。
　課長：その後の対応についても注意する。一人で決めないで必ず報告・相談するよう言う。
　ソン：反省して謝る。
　課長：すぐに対応しようと言う。先方へのおわびは自分がするので、ソンは開発部とのミーティングの準備を進めるよう指示する。
　ソン：返事をする。

課題 2　戦略会話に沿ってスムーズに話す

戦略会話1　切り出す→上司に報告する

立場：A（担当者）　＜　B（上司）　🎧45

（外出先から戻ってきた上司に）

A1：お疲れさまです。（　上司の肩書き　）、今、ちょっとよろしいでしょうか。
B1：いいですよ、何ですか。
A2：ご報告なんですが、実は、＿＿＿＿＿①＿＿＿＿＿とのクレームがありまして……
B2：＿＿＿＿＿②＿＿＿＿＿？→詳細な説明を求める
A3：はい、＿＿＿＿＿③＿＿＿＿＿ということで、＿＿＿＿＿④＿＿＿＿＿ところ、
　　＿＿＿＿＿⑤＿＿＿＿＿です。→苦情への最初の対応と問題点を述べる
　　＿＿＿＿＿⑥＿＿＿＿＿が、先方は、＿＿＿＿＿⑦＿＿＿＿＿……
　　→次の対応と取引先の反応を述べる
B3：そうでしょうね。
A4：ええ。ですので、＿＿＿＿＿⑧＿＿＿＿＿と思いますが……→対応策を打診する
　　＿＿＿＿＿⑨＿＿＿＿＿ので。→補強する
B4：わかりました。

下の表現を使って戦略会話を完成させなさい。

---

①朝一でミツバ商事の伊藤さんから、システムがうまく稼働しない／
　新東京ホテルに今日納入したソファーに傷があった／
　西田物流さんからコンベアの不具合が生じた
②稼働しないって、どういうこと／傷って、どういう傷／どんな不具合
③支社で入力したデータが本社のほうに反映しない／背もたれに傷がある／
　高速運転ができない
④開発担当者に同行をお願いしてすぐ見に行った／ホテルに確認に行った／
　メンテ担当者と見に行った

⑤予想以上に負荷がかかったことが原因ではないかと言っているん／
3センチぐらいのひっかき傷と周辺にいくつか小さな傷があったん／
電気系統に問題があるようなん

⑥とりあえず、旧システムに戻して対応してきました／
応急措置として代わりのソファーを手配しました／
その場で修復できなかったのでそのまま低速運転でお願いしてきたんです

⑦早急に新システムに戻さないと業務が進まないということで、だいぶご立腹でして／
インテリアのバランス上、早く同じものを入れてほしいとおっしゃっていて／
「メンテしたばかりなのにどういうことだ。これじゃ仕事にならない」ということで

⑧開発のほうとできれば今日中に対応を考えたい／
現地のメーカーに至急オーダーをかけたい／
応援の技術者をあと2～3人出したい

⑨開発部長にはお時間を取っていただくようにお願いしてあります／
発注書のほうはもう作ってあります／一応そのように手配しておきました

<練習> 体を使った表現「腹」「頭」「おしり」

1. (　　　)に「腹」を使った表現を入れなさい。
   1) a：昨日の佐藤さんの送別会、予算オーバーしたんだけど、足りない分、部長が(　　　　　)てくれたんだって。
      b：へえ、(　　　　　)だね。
   2) a：営業が無理難題をこっちに押しつけてくるのは日常茶飯事じゃない。
      b：でも今回のはあまりにひどい。このままじゃ(　　　　　)が治まらないよ。
   3) 秘書室の山田さんは専務の(　　　　　)の部下だから、めったなことは言わないほうがいい。
   4) よほど(　　　　　)てかからなければ、総工費30億円という大プロジェクトの責任者など務まるものではない。
   5) [取引先を訪問して] いやあ、今日は部長と建前じゃなく、(　　　　　)てお話ししたいと思いまして……

2. 次の「頭」や「おしり」がどんな意味を表すか考えなさい。
   1) 次回の打ち合わせですが、来月の頭あたりはいかがでしょう。
   2) [企画書を見て] うーん、頭がちょっと弱いんじゃないかなぁ……
   3) [同僚に] a：どんな感じですか。おしり見えてきました？
              b：うーん、まだ見えませんねぇ……

> **❗ ここがポイント！　～「体」を使った言い方で表現力アップ～**
>
> 「腹」「頭」「おしり」などの体の部位の語が、慣用句的な意味で用いられる場合がある。基本的なものは覚えておこう。
> 【解答例】
> 1. 1) 自腹を切っ・太っ腹　2) 腹の虫　3) 腹心　4) 腹を括っ（腹を据え）
>   5) 腹を割っ
> 2. 1) 初旬　2) 最初の部分　3)（仕事の）終わり

<応用練習>

適切な表現を使いながら、自分の場面で戦略会話1を作りなさい。

戦略会話2　上司から注意・指示を受ける

立場：A（担当者）　＜　B（上司）　🎧46

B4：＿＿＿①＿＿＿。ただ、＿＿＿②＿＿＿。→ねぎらって注意する

A5：（謝る）。＿＿＿③＿＿＿ もので……→**弁解する**

B5：うん、＿＿＿④＿＿＿。＿＿＿⑤＿＿＿でしょう。
　　→**理解を示した上で諭す**
　　＿＿＿⑥＿＿＿だし。

A6：はい。（謝る）。

B6：それから、＿＿＿⑦＿＿＿こと。＿＿＿⑧＿＿＿。
　　→**注意してその補足をする**

A7：はい。＿＿＿⑨＿＿＿。→**反省する**（謝る）。

B7：まあ、今回は、とにかく＿＿＿⑩＿＿＿。＿＿＿⑪＿＿＿はわたしのほうでやっとくから、（部下の名前）さんは＿＿＿⑫＿＿＿といてください。→**今後の対応を指示し、役割分担する**

A8：はい、わかりました。

下の表現を使って戦略会話を完成させなさい。

```
①緊急時だけに、迅速に対応したのはよかったよ／ご苦労様／お疲れ様
②今後はもう少し早く報告してくれるかな／
　すぐに代わりのソファーを手配したというのはちょっと……／
　この場合メンテ担当がちゃんとやるべきなんじゃないの
③早急に対応しなければと、そのことで頭がいっぱいだった／
　お客様への対応を最優先した／
　復旧第一と考えた
④それはわかるけどね／それはそうなんだけどね／それはもちろんだけど
⑤わたしの携帯に連絡くれるぐらいはできる／
　その前に一言相談があってもいい／もう少し全体を見て動くべき
⑥ミツバさんとは長いつきあいなんだから、担当レベルで済むことじゃないん／
　費用の問題もあるん／技術者も人手が足りないん
⑦その後のことはチームで動くんだから、一人で決めない／
　納入の立ち会いはもっときちんとやる／メンテ後の確認はもっと徹底する
```

⑧必ず報告、相談だよ／基本中の基本ですよ／
　こういうことはあってはならないんだから
⑨以後気をつけます／十分気をつけます／おっしゃるとおりです
⑩早急に動きましょう／現地の発注を急ぐということで／それでいきましょう
⑪先方へのおわび／運送会社への照会／技術部への説明
⑫開発とのミーティングの段取りをつけ／手続きのほうを進め／事故報告を上げ

<練習1>　情報を補足する接続詞の使い方「なお」「ただし」「ただ」

適当なものを選びなさい。

1）今日はこれで終わりたいと思います。（　なお・ただし・ただ　）次回の打ち合わせですが、来週金曜日の2時ということでよろしくお願いいたします。

2）上司：企画書、よくできてるね。これで上に上げておくよ。
　　部下：ありがとうございます。
　　上司：（　なお・ただし・ただ　）ねぇ、予算の問題があるから通るかどうかはちょっと……
　　部下：そうですか……

3）［カード会社のホームページに］お客様センターは午前9時から午後5時までです。（　なお・ただし・ただ　）盗難や紛失などの場合は以下の番号で24時間受け付けます。

> **ここがポイント！**
> 「なお」：新しい情報を追加する場合　1）
> 「ただし」「ただ」：前の内容に条件や例外をつけ足したいときに使われる。
> 　　　　　　「ただし」は硬い言い方で、書き言葉にも使われる。3）
> 　　　　　　「ただ」は「ただし」よりもくだけた言い方である。2）
> 【解答】1）なお　2）ただ　3）ただし

> **ここもポイント！　～「でも」の代わりに「ただ」を使おう～**
> 「ただ」は前の事柄を認めながら条件や例外をつけ足すという意味合いがあるので、ビジネスでは「でも」の代わりによく使われる。「でも」を使うと、相手を否定する印象を与えることがあるので、お客様や目上の人に対して使うときは注意しよう。

課題2：戦略会話に沿ってスムーズに話す

<練習2> 理由を表す表現「～だけに」

下線部に適当な言葉を入れ、文を完成させなさい。
1）経済の先行きが不透明（ふとうめい）なだけに、＿＿＿＿＿＿＿＿＿＿＿＿＿＿＿。
2）さすがに新進気鋭（しんしんきえい）のアナリストだけに、＿＿＿＿＿＿＿＿＿＿＿＿＿＿＿。
3）原料費が高騰（こうとう）しているだけに、＿＿＿＿＿＿＿＿＿＿＿＿＿＿＿。
4）業界（ぎょうかい）が注目しているA社の次世代携帯（じせだいけいたい）のお披露目（ひろめ）だけに、＿＿＿＿＿＿＿＿＿＿＿＿＿＿＿。

> ● ここがポイント！
>
> 理由を表す表現には、「～ので」や「～から」以外にもいろいろある。
> 理由を説明するときに「～だけに…」を使うと、「～の理由から当然…だ」という意味で、…の程度を強調して話し手の主張や予測を述べることができる。
> 【解答例】 1）政府は慎重（しんちょう）に舵取（かじと）りをすべきだ　2）読みの深さが違う
> 　　　　　3）物価への影響（えいきょう）は避（さ）けられないだろう
> 　　　　　4）記者会見（かいけん）には大勢の記者が集まっていた

<応用練習>

適切な表現を使いながら、自分の場面で戦略（せんりゃく）会話2を作りなさい。

課題3 戦略会話1、2を通して話す

🎧45 （エースソリューション営業1課で、外出先から戻ってきた課長に）

ソン：お疲れさまです。課長、今、ちょっとよろしいでしょうか。

課長：いいですよ、何ですか。

ソン：ご報告なんですが、実は、朝一でミツバ商事の伊藤さんから、システムがうまく稼働しないとのクレームがありまして……

課長：稼働しないって、どういうこと？

ソン：はい、支社で入力したデータが本社のほうに反映しないということで、開発担当者に同行をお願いしてすぐ見に行ったところ、予想以上に負荷がかかったことが原因ではないかと言っているんです。とりあえず、旧システムに戻して対応してきましたが、先方は、早急に新システムに戻さないと業務が進まないということで、だいぶご立腹でして……

課長：そうでしょうね。

ソン：ええ。ですので、開発のほうとできれば今日中に対応を考えたいと思いますが……開発部長にはお時間を取っていただくようにお願いしてありますので。

課長：わかりました。

🎧46
課長：緊急時だけに、迅速に対応したのはよかったよ。ただ、今後はもう少し早く報告してくれるかな。

ソン：すみません。早急に対応しなければと、そのことで頭がいっぱいだったもので…

課長：うん、それはわかるけどね。わたしの携帯に連絡くれるぐらいはできるでしょう。ミツバさんとは長いつきあいなんだから、担当レベルで済むことじゃないんだし。

ソン：はい。申し訳ありませんでした。

課長：それから、その後のことはチームで動くんだから、一人で決めないこと。必ず報告、相談だよ。

ソン：はい。以後気をつけます。本当に申し訳ありませんでした。

課長：まあ、今回は、とにかく早急に動きましょう。先方へのおわびはわたしのほうでやっとくから、ソンさんは開発とのミーティングの段取りをつけといてください。

ソン：はい、わかりました。

＜応用練習＞ 適切な表現を使いながら、自分の場面で戦略会話1、2を続けて作りなさい。

課題 4　実戦会話　以下の流れに沿って会話する

みなと電機営業部の藤田さんは、取引先である北東設備工業のシュルツさんから、北東設備を通して東都セントラルに納入した、空調設備の支払い延期について電話で依頼される。その後課長に報告するが、一連の対応について注意・指示される。

立場：藤田（みなと電機・営業部担当者）　＜　課長（上司）

1. 切り出す→上司に報告する
   藤田：課長に呼びかける。
   課長：何かと聞く。
   藤田：相談だと前置きして、先ほど北東設備から、先月納入した東都セントラルビルの空調設備の支払いを分割にしてほしいと電話があったと言う。
   課長：話を促す。
   藤田：据え付け工事が終わった後で、約半数に欠陥があることがわかったと説明する。部品交換したところ、発注元の東都セントラルは納入遅延と判断し、北東設備に契約額の半分の支払いを2か月延期すると通知してきたと伝える。そのため、北東設備のほうも藤田の会社に同様の対応を求めてきたと説明する。北東設備には相談してまた連絡すると言ったが、どうしたらいいか指示を仰ぐ。
   課長：困った様子を示す。
   藤田：とりあえず、支払い延期の通知内容を確認して検討したいと言う。北東設備からファックスが送られて来るとつけ加える。
   課長：了承する。

2. 上司から注意・指示を受ける
   課長：ねぎらう。欠陥があったにもかかわらず報告しなかったことを注意する。
   藤田：謝る。欠陥がねじ1本だったのでと言い訳する。
   課長：理解を示すが、そのときにきちんと契約のことも先方と話し合っておくべきだったと諭す。北東設備は大事な取引先だとつけ加える。
   藤田：謝る。
   課長：今後は異例事項はすぐ報告するように注意する。後で何か起きると困るから、現場だけで片づけないようにと言う。

藤田：反省する。
課長：ファックスが来たらすぐに見せるように言う。北東設備へのおわびは自分がすると言い、藤田に金額が大きいので経理（けいり）に連絡しておくよう指示する。
藤田：返事をする。

<課題4　会話例>

🎧47

藤田：課長、ちょっとよろしいでしょうか。
課長：ああ、何ですか。
藤田：ご相談なんですが、実は、先ほど北東設備から、先月納入した東都セントラルビルの空調設備の支払いを、分割にしてほしいとの電話がありまして……
課長：どういうことですか。
藤田：はい、実は据え付け工事が終わった後で、約半数に欠陥があることが判明しまして。部品交換したところ、発注元の東都セントラルは納入遅延と見なして、北東設備に契約額の半分の支払いについて、2か月延期すると通知してきたということです。それで、北東設備はうちにも同様の対応を求めてきまして……相談してまた連絡すると言ったんですが、いかがいたしましょうか。
課長：うーん、それはちょっとややっこしいなぁ……
藤田：はい……とりあえず、支払い延期の通知内容を確認して検討したいと思いますが……今、北東設備からファックスが送られて来ますので。
課長：わかりました。

🎧48

課長：いろいろご苦労さま。ただ、製品に欠陥があったこと、何で報告しなかったんですか。
藤田：すみません。欠陥といっても、ねじ1本の交換だったもので……
課長：まあ、事情はわかるけど。そのときにちゃんと契約上のことも先方と話し合っておけば、こんな問題は生じなかったでしょう。北東設備さんは大事なお取引先なんだし。
藤田：はい。本当に申し訳ありません。
課長：今後は異例事項はすぐ報告すること。後で何か起きると困るから、現場だけで片づけないで。
藤田：はい。これからはご報告を徹底します。
課長：ファックスが入ったらすぐ見せてください。北東設備さんにはわたしのほうから謝っとくから、藤田さんはちょっと金額が大きいんで経理に連絡しといてください。
藤田：はい。承知しました。

課題5 評価する

以下の10項目について評価してみよう。
　A：よい　　B：もう少し努力が必要（その理由）

1. **切り出す→上司に報告する**
   【藤田】まず相手の都合を聞いてから、どのような話か前置きし、要点をわかりやすく説明しているか。　　　　　　　　　　　　　　　　　　　　　　（　　）
   【藤田】質問に対して話を切り出し、経緯と現状についてわかりやすく述べているか。文末の表現は適切か。　　　　　　　　　　　　　　　　　　　（　　）
   【課長】話を促す言い方、言いよどんで困った表現は適切か。　　　　　　（　　）
   【藤田】あいづちを打ってから、対応について述べているか。申し訳ない、助力をお願いしたい、という気持ちを言いよどみや文末の表現で間接的に表現しているか。　　　　　　　　　　　　　　　　　　　　　　　　　　　　　　（　　）

2. **上司から注意・指示を受ける**
   【課長】ねぎらいの言葉をかけてから、問題点を問いただしているか。　　（　　）
   【藤田】まず謝っているか。その後で言い訳をしているか。文末は申し訳ないというニュアンスを表しているか。　　　　　　　　　　　　　　　　　（　　）
   【課長】一度相手を受け入れてから、具体的に注意しているか。注意した根拠を述べているか。　　　　　　　　　　　　　　　　　　　　　　　　　　　（　　）
   【課長】今後の注意の言い方は簡潔か。　　　　　　　　　　　　　　　　（　　）
   【課長】指示を明確に述べているか。仕事の役割分担の言い方は適切か。　（　　）
   【藤田】返事、謝り方、反省の言葉や表現を適切に使っているか。　　　　（　　）

第8課 謝絶する

取引先からの新しい取引を断る場合、何よりも大切なのは今後も良好な関係を維持するために誠意をもって対応することです。この課では相手に配慮しながらうまく断るための戦略と効果的な表現を学習します。

課題1 ロールプレイにチャレンジ

精密機械の販売会社が仕入先のメーカーに、現在開発中の新製品の独占販売契約の提案を持ちかけたが、両社で協議の結果、メーカー側が謝絶した。今日は、メーカーの谷本常務が販売会社の柴田営業本部長を訪ね、改めて謝絶のあいさつと事情説明をする。

立場：谷本（謝絶する人） ＜ 柴田（提案した人）

1. 訪問のあいさつ→本題を切り出し、謝絶の事情説明をする

谷本：時間をもらったことをわびる。
柴田：来社の礼を言い、椅子を勧める。
谷本：返事をする。新製品の独占販売契約の件で配慮してもらった礼を述べる。残念だと前置きして、社内的に話を詰めきれない部分があったので、今回の柴田の会社の提案は受けられないということを説明し、了解してもらうために訪問したと言う。
柴田：これまでの深いつきあいがあって提案したことで、まず独占販売を、ということではない。これからも長くつきあいたいと配慮を示す。
谷本：感謝を表し、相手の言葉に恐縮する。

2. 相手に配慮しながら今回の経緯について話す

柴田：谷本の会社の技術力を評価しているとほめる。世界的にも最高の品質との評判だとつけ加える。
谷本：品質一筋ということしか取り柄がないと謙遜する。社長以下、技術屋ばかりの職人気質の会社だからとつけ加える。
柴田：開発の初期段階から協力してきた経緯もあるから、自信を持って扱うことができると思っていたと言う。

谷本：恐縮する。今回の件で、柴田の会社からお客様のニーズや市場動向など、情報提供してもらったことについての感謝を示す。

柴田：長いつきあいで谷本の会社の製品を最もよく理解しているという自負があった。それだけに、独占販売させてもらえれば、谷本の会社の技術力を生かして、更にいろいろなニーズを一緒に発掘できると期待していたのだが、と残念な気持ちを表す。また、資金的なバックアップや、グローバルな販売ネットワークの拡大も加速できたとつけ加える。

谷本：そこまで言ってもらうと心苦しいと恐縮する。

3．今後のつきあいを踏まえたやりとり→終わりのあいさつ

谷本：柴田の会社が一番の取引先だと立てながら、本当のことを言うと、ほかの販売会社とのつきあいも無視できないのだと説明する。そのことについての調整や具体的な取引条件は、柴田の会社とも協議してきたと弁解する。

柴田：それについては、谷本の会社が誠意を持って検討していたと聞いていると理解を示す。

谷本：返事をする。ほかの販売会社の中には、昔、自社が経営難のときに世話になった会社もあるので、もう少し時節を見ようという結論になったと説明する。これまでどおり、柴田の会社最優先の製造態勢をとるのであいさつする。

柴田：返す。

谷本：製品の仕様や納品条件など、できる限りの努力をするので、要望などがあれば言ってほしいと言う。

柴田：了承する。来訪の礼を述べる。

谷本：返して、辞去する。

課題1：ロールプレイにチャレンジ

課題2 戦略 会話に沿ってスムーズに話す

戦略会話1　訪問のあいさつ→本題を切り出し、謝絶の事情説明をする

立場：A（謝絶する人）　＜　B（提案した人）

A1：今日は、お忙しいところ_____①_____申し訳ございません。
B1：いいえ、こちらこそ。わざわざ_____②_____恐縮です。
　　まあ、どうぞおかけください。
A2：はい、では失礼します。早速ですが、このたびは_____③_____
　　ありがとうございました。→本題を切り出して礼を述べる
　　大変残念ではありますが、_____④_____て……今回は
　　_____⑤_____ということにさせていただきたく、_____⑥_____て
　　お伺いした次第です。→理由を述べて謝絶し、訪問の目的を説明する
B2：いやいや、私どもとしても、_____⑦_____わけで、
　　決して_____⑧_____、ということではありません。
　　今後とも_____⑨_____ので。→相手への配慮を示す
A3：ありがとうございます。_____⑩_____。→相手の配慮に感謝する

下の表現を使って戦略会話を完成させなさい。

①お邪魔させていただきまして／お時間をちょうだいいたしまして／
　お時間をいただき
②お越しいただきまして／ご足労いただき／おいでいただいて
③新製品の独占販売契約のことで、いろいろご配慮いただき／
　御社への出資の件でいろいろご提案いただき／
　メイプルショッピングセンター出店の件でお話をいただき
④当社にも詰めきれない部分がございまし／弊社もいろいろ厳しい状況でし／
　立地上の都合がございまし
⑤なかったお話／見送る／見合わせる

第8課：謝絶する

⑥ご説明かたがた、ご了解を賜りたいと存じまし／

おわびかたがた、ご理解いただきたいと思いまし／

ご説明して、おわび申し上げたいと思いまし

⑦ほかならぬ御社とのおつきあいの中でご提案させていただいた／

御社と一層緊密なおつきあいをさせていただきたいと思った／

御社の商品を多くの人にご紹介したいと考えた

⑧独占販売ありき／出資ありき／ここでなければ

⑨末長いお取引をと思っております／変わらぬおつきあいをと考えております／

最新の情報を逐一お知らせしてまいります

⑩そうおっしゃっていただくとますます恐縮です／もったいないお言葉です／

よろしくお願いします

<練習> 「名詞 ＋ありき」の使い方

(　　　　　) に入れる適切な言葉を考えなさい。

1）取引で損失を出した担当者の処遇について、(　　　　　) ありきで考えるのは
ちょっとどうかと思いますよ。

2）約束が守られないなら、あの会社との仕事は無理だろう。契約 (　　　　　) もありきで考えよう。

3）原材料費の高騰を理由に、企業努力をしないで、何でも (　　　　　) ありきでものを言う会社が多すぎる。

4）[企画会議で] こういう時代だから、まずは (　　　　　) ありきでいかないと。

> **～ここがポイント！～**
>
> それをすることが前提・条件・高い可能性でという意味。かなり硬い表現だが、ビジネスの場面ではよく出てくる。
>
> 【解答例】 1)「処分／解雇」 2)「解除／破棄」
> 3)「価格転嫁／値上げ」 4)「お客さん／ニーズ」

<応用練習>

相手に配慮しながら、自分の場面で戦略会話1を作りなさい。

戦略会話2　相手に配慮しながら今回の経緯について話す

立場：A（謝絶する人）　＜　B（提案した人）　🎧50

B3：私どもは＿＿＿①＿＿＿。＿＿＿②＿＿＿。
　　→ほめて、それを補強する

A4：いやあ、＿＿＿③＿＿＿……＿＿＿④＿＿＿ものですから……
　　→謙遜して、それを補強する

B4：まあ、今回も＿＿＿⑤＿＿＿と思っておりました。
　　→経緯と意図について述べる

A5：恐れ入ります。今回の件につきましては、＿＿＿⑥＿＿＿。→感謝する

B5：＿＿＿⑦＿＿＿が……＿＿＿⑧＿＿＿し。
　　→残念な気持ちを表し、それを補強する

A6：いやあ、＿＿＿⑨＿＿＿。→恐縮の意を表す

下の表現を使って戦略会話を完成させなさい。

①御社の技術力を高く評価しております／
　御社の安定した会社経営を手本にしたいと思っております／
　御社の商品企画は素晴らしいと常々思っております
②実際、御社の製品は世界的に見ても最高品質との評判ですしね／
　高い格付けも維持されていますし／
　特に若者向けには抜きんでたものがありますし
③品質一筋しか取り柄がありませんので／本業に専念していただけですよ／
　それほどでも
④社長以下、技術屋ばかりの職人気質の会社な／創業以来の方針な／若い社員が多い
⑤私どもが開発の初期段階からご協力させていただいた経緯もあり、自信を持って
　扱わせていただきたい／
　資本構成を強化するという方針の柱として、御社に安定株主になっていただきたい／
　若者の街ということもあって、御社にはうってつけだ
⑥御社からお客様のニーズや市場動向など、いろいろな情報提供をいただき本当に
　感謝しております／
　私どもを信頼していただき深く感謝しております／
　真っ先に私どもにお声をかけていただき大変ありがたく思っております

⑦長年のおつきあいで、御社の製品を最も理解しているのは我々だという自負もありましたので、独占販売ということになれば、御社の優れた技術力を生かし、更にいろいろなニーズをご一緒に発掘できると期待したのです／
この話が叶えばより強い協力体制が築けると考えたのです／
もし実現すれば素晴らしいお店になったと思います
⑧もちろん、資金的なバックアップや、御社のグローバルな販売ネットワークの拡大も加速できました／製品の共同開発なども進めやすくなります／
私どもにとってもセンターの目玉になったでしょう
⑨そこまでおっしゃっていただくと心苦しい限りです／申し訳ございません／
恐れ入ります

<練習> 「多い」と「多くの」の使い方

適当なほうを選びなさい。
1) 地方経済の活性化に対する国の施策に（ 多い・多くの ）有識者が疑問を投げかけた。
2) うつ病は、40代～50代の中間管理職に（ 多い・多くの ）現代病と言えるのではないか。
3) 苦情で一番（ 多い・多く ）のは、傷とか汚れについてだな。
4) 最近は（ 多い・多くの ）人が携帯電話を持っているから、公衆電話を使う人がすっかり減ってしまったね。
5) 忘年会が（ 多い・多くの ）時期だから、どの店も満員で予約ができないよ。

> **ここがポイント！**
> ① 「多くの＋ 名詞 」： 名詞 の数、それ自体が多いと言いたいときに使う。1）・4）
> ② 「～多い＋ 名詞 」：節で 名詞 を修飾する場合に使う。2）・3）・5）
> 【解答】1）多くの 2）多い 3）多い 4）多くの 5）多い

<応用練習>

ほめたり謙遜したりしながら、自分の場面で戦略会話2を作りなさい。

戦略会話3　今後のつきあいを踏まえたやりとり→終わりのあいさつ

立場：A（謝絶する人） ＜ 　B（提案した人）　🎧51

A6：今回の件は、もちろん＿＿＿①＿＿＿が、＿＿＿②＿＿＿事情が
　　ございまして……＿＿＿③＿＿＿……→相手を立てながら本音を述べる
B6：ええ、そのことについては、＿＿＿④＿＿＿おります。→理解を示す
A7：そうですか。いや、＿＿＿⑤＿＿＿て……＿＿＿⑥＿＿＿結論に
　　至った次第です。→事情を説明して結論を述べる
　　私どもとしては、引き続き＿＿＿⑦＿＿＿ので。今後ともどうぞよろしく
　　お願いいたします。
B7：こちらこそ、よろしくお願いいたします。
A8：＿＿＿⑧＿＿＿ので、＿＿＿⑨＿＿＿ございましたら、
　　＿＿＿⑩＿＿＿。→今後のつきあいを踏まえたあいさつ
B8：かしこまりました。今日は、＿＿＿⑪＿＿＿ありがとうございました。
A9：こちらこそ、ありがとうございました。では、失礼いたします。

下の表現を使って戦略会話を完成させなさい。

---

①御社が一番のお取引先ではございます／
　できることならお受けしたかったのです／
　大変魅力的なお話だったのです

②正直なところ、ほかの販売会社さんとのおつきあいも無視できない／
　本音を申しますと、もう少し慎重に考えたいという／実を言えば、社内的な

③このあたりの調整や具体的なお取引条件は、御社とも協議させていただいたのですが／
　役員会でもずいぶん議論を重ねたのですが／
　立地戦略との兼ね合いで

④御社からは大変誠意あるご検討をいただいたと聞いて／重々承知して／
　以前から認識して

⑤販売会社さんの中には、昔、私どもの経営が苦しかった時期にお世話になった先も
　ありまし／
　実は他社さんからも同じようなお話をいただいたことがありまし／
　既に来年度の出店計画も固まっておりまし

⑥もう少し時節を見てという／このような／この件は見送らせていただくという

⑦御社最優先の製造態勢で臨みます／

　親しくおつきあいさせていただきたいと思います／

　御社から情報提供をお願いしたいと思っております
⑧製品の仕様や納品条件など、できる限りの努力はいたします／

　これからも品質向上に努めてまいります／

　再来年以降も積極的に出店してまいります
⑨ご要望など／何か／いい情報等
⑩どうぞご遠慮なくお申しつけください／何なりとご指摘ください／

　ぜひご紹介ください
⑪お忙しい中お越しいただき／ご丁寧に／わざわざ

<練習1> 「という」の使い方① 「という + 名詞 」

「という」が必要な文を選び、適切な文にしなさい。
1) 残業代がきちんと支払われていない報告が組合員からあった。
2) 彼が言った意見に賛同する者はだれもいなかった。
3) A社のチョウ社長が今期で退任する記事が今朝の新聞に載っていた。

> **! ここがポイント！ 〜「という」はいつ必要？〜**
>
> ①名詞修飾節が、思考や発話に関する名詞の具体的な内容を説明するとき：
> 「という + 名詞 （＝考え・話・意見・うわさ・報告・評価など）」1)
> ②名詞修飾節が、あるまとまった内容を持つ名詞について具体的に説明するとき：
> 「という + 名詞 （＝事件・記事・情報など）」3)
> 2) のように名詞修飾節が、名詞（＝意見）の具体的な内容を説明していないときは使わない。（「彼が言った」≠意見の内容）
>
> 【解答】
> 1) 残業代がきちんと支払われていないという報告
> 3) A社のチョウ社長が今期で退任するという記事

課題2：戦略会話に沿ってスムーズに話す

<練習2> 「という」の使い方②「ということになる/する」

(　　) に「という」が入ると不自然になる文を選び、その理由を考えなさい。

1) 為替の変動も視野に入れて検討する（　　　　　）ことにしましょう。
2) 実は私、来月タイに転勤する（　　　　　）ことになりました。
3) あらゆる面を考慮した結果、今回の案件は見送らせていただく（　　　　　）ことになりました。
4) 私ごとで恐縮ですが、このたび結婚する（　　　　　）ことになりまして……

> ● **ここがポイント！**
> ビジネスの場ではしばしば「ということになる/する」を使う。「という」がなくても文は成り立つが、直接的な言い方を避けるときに主に使われる。そのため言いにくいことを伝えるときにもよく使われる。だが、話し手自身のことについて述べるときに「という」を入れると不自然になるので気をつけよう。
>
> 【解答】2)・4)

<応用練習>

今後のつきあいを踏まえた適切な表現を使って、自分の場面で戦略会話3を作りなさい。

課題3 戦略会話1～3を通して話す

🎧49

谷本：今日は、お忙しいところお邪魔させていただきまして申し訳ございません。

柴田：いいえ、こちらこそ。わざわざお越しいただきまして恐縮です。まあ、どうぞおかけください。

谷本：はい、では失礼します。早速ですが、このたびは新製品の独占販売契約のことで、いろいろご配慮いただきありがとうございました。大変残念ではありますが、当社にも詰めきれない部分がございまして……今回はなかったお話ということにさせていただきたく、ご説明かたがた、ご了解を賜りたいと存じましてお伺いした次第です。

柴田：いやいや、私どもとしても、ほかならぬ御社とのおつきあいの中でご提案させていただいたわけで、決して独占販売ありき、ということではありません。今後とも末長いお取引をと思っておりますので。

谷本：ありがとうございます。そうおっしゃっていただくとますます恐縮です。

🎧50

柴田：私どもは御社の技術力を高く評価しております。実際、御社の製品は世界的に見ても最高品質との評判ですしね。

谷本：いやあ、品質一筋しか取り柄がありませんので……社長以下、技術屋ばかりの職人気質の会社なものですから……

柴田：まあ、今回も私どもが開発の初期段階からご協力させていただいた経緯もあり、自信を持って扱わせていただきたいと思っておりました。

谷本：恐れ入ります。今回の件につきましては、御社からお客様のニーズや市場動向など、いろいろな情報提供をいただき本当に感謝しております。

柴田：長年のおつきあいで、御社の製品を最も理解しているのは我々だという自負もありましたので、独占販売ということになれば、御社の優れた技術力を生かし、更にいろいろなニーズをご一緒に発掘できると期待したのですが……もちろん、資金的なバックアップや、御社のグローバルな販売ネットワークの拡大も加速できましたし。

谷本：いやあ、そこまでおっしゃっていただくと心苦しい限りです。

谷本：今回の件は、もちろん御社が一番のお取引先ではございますが、正直なところ、ほかの販売会社さんとのおつきあいも無視できない事情がございまして……このあたりの調整や具体的なお取引条件は、御社とも協議させていただいたのですが……

柴田：ええ、そのことについては、御社からは大変誠意あるご検討をいただいたと聞いております。

谷本：そうですか。いや、販売会社さんの中には、昔、私どもの経営が苦しかった時期にお世話になった先もありまして……もう少し時節を見てという結論に至った次第です。私どもとしては、引き続き御社最優先の製造態勢で臨みますので。今後ともどうぞよろしくお願いいたします。

柴田：こちらこそ、よろしくお願いいたします。

谷本：製品の仕様や納品条件など、できる限りの努力はいたしますので、ご要望などございましたら、どうぞご遠慮なくお申しつけください。

柴田：かしこまりました。今日は、お忙しい中お越しいただきありがとうございました。

谷本：こちらこそ、ありがとうございました。では、失礼いたします。

＜応用練習＞

自分の場面で戦略会話1～3を通して話しなさい。

課題 4　実戦会話　以下の流れに沿って会話する

A銀行に中小企業の取引先B社から融資の申し込みがあった。渉外担当者の中村さんは取引先の社長に謝絶に出向く。

立場：中村（謝絶する人）　＜　社長（申し込んだ人）

1. **訪問のあいさつ→本題を切り出し、謝絶の事情説明をする**

    中村：時間をもらったことをわびる。

    社長：来社の礼を言い、椅子を勧める。

    中村：返事をする。先日話があった融資の件で来たことを切り出す。

    社長：連絡しようと思っていたところだと言い、どうなったか尋ねる。

    中村：謝絶し、資金の内容が理由で融資できないと説明する。

    社長：元々は中村の銀行が借り入れの話を持ってきた。しかし実際に申し込むと貸せないというのはどういうことかと不満を示す。

    中村：わびる。

2. **相手に配慮しながら今回の経緯について話す**

    中村：融資の理由が、前向きなものではなく、赤字の補填のようなものだった。銀行としては、既に借り入れがある上に、更に貸すことは難しく、審査が通らなかったのだと経緯を話す。

    社長：自社の経営状態は中村の銀行もよく知っているはずだと言い、決算書もすべて出しているのだからと不満を示す。

    中村：役に立てなかったことをわびる。

    社長：中村の銀行とは先代の社長からのつきあいで、助けてもらったり、今も融資を受けて世話になっていると感謝の気持ちを一応示す。

    中村：恐縮し、長年の取引に感謝の言葉を述べる。融資の返済計画が具体的に立てられるような前向きな投資や仕入れ、決算資金などなら、用立てしやすいと自行の事情を説明する。

    社長：担保に余力があったはずだとやんわり返す。

    中村：一応認めるが、担保があれば融資できるものではなく、返済の見込みがはっきりしないと条件的に審査は通りにくいと説明する。

社長：困った様子を示す。
中村：わびる。銀行も担保(たんぽ)を頼りにした過去の失敗に懲(こ)りていると理解を求める。
社長：中村の銀行の人はよくやってくれていたから、今回も頼りにしていたと言う。
中村：わびる。

3. 今後のつきあいを踏(ふ)まえたやりとり→終わりのあいさつ
   中村：今回は融資(ゆうし)できないが、売掛金(うりかけきん)の回収(かいしゅう)の徹底(てってい)、経費(けいひ)の支払いの見直し、資金(しきん)繰(ぐ)りの管理の強化など、ほかのことでいろいろ手伝いができると提案(ていあん)し、理解を求める。
   社長：そういうことは改善が必要だと思っているが、そこまで余裕がないと言う。
   中村：それらを改善すれば、資金繰(しきんぐ)りも楽になり、借(か)り入(い)れも減らせるかもしれないと説明を加える。そして相談させてほしいと提案(ていあん)する。
   社長：納得(なっとく)し、これまで同様頼むと言う。
   中村：返事をし、提案(ていあん)した件について改めて連絡するとあいさつする。
   社長：了承(りょうしょう)する。
   中村：辞去(じきょ)する。

<課題4　会話例>

🎧52

中村：今日は、お忙しいところお時間をちょうだいしまして申し訳ございません。

社長：ああ、わざわざお運びいただきすいません。まあ、どうぞ。

中村：はい、では失礼します。早速ですが、今日は、先日お話のあったご融資の件でお伺いしました。

社長：ちょうど連絡しようと思っていたところですよ。どうなりましたか。

中村：それが……大変申し訳ございません。今回は、ご資金の内容から、ご融資を控えさせていただきたいと存じまして……

社長：えーっ？　そもそも、おたくが借り入れの話を持ってきたんですよ。それで、いざ申し込むとなると貸せない。それはどういうことですか。

中村：はぁ……申し訳ございません。

🎧53

中村：ただ、今回のお話は、こう申し上げては何ですが、前向きなご用立てではなく、まあ赤字の補填のような性格が強いお話でしたので……私どもといたしましても、現在既にお借りいただいている残高がございますので、その上に更に、というのが難しく、審査が通らなかったものですから……

社長：うちの経営状態はよくご存知だと思いますけどね。決算書なんかもみんなそっちに出してるわけだから。

中村：ええ……お役に立てず申し訳ございません……

社長：まあ、おたくには先代の社長のときからずーっとお世話になって随分助けてもらって、今もこうして融資を受けてるわけだから、ありがたいとは思ってますがね。

中村：お言葉恐縮です。こちらこそ長年のお取引をありがたく思っております。ご融資でも、ご返済の計画が具体的に立てられるような前向きなご投資とか、仕入れや決算資金といったものでしたら、ご用立てしやすいのですが……

社長：担保には余力があったはずだけど……

中村：ええ、それはそうなんですが、担保がありさえすれば、というわけでは……ご返済の見込みがはっきりしませんと、なかなか条件的に通らないものですから…

社長：いやー、困ったなあ……

中村：申し訳ございません。銀行も担保頼りの過去の失敗に懲りておりまして……

社長：おたくの銀行の人はよくやってくれてたから…今回も頼りにしてたんですよ。

中村：申し訳ございません。

中村：あの、今回はご融資という形ではご協力できませんが、売掛金の回収の徹底や経費の支払いの見直し、また資金繰り管理の強化など、いろいろな面でお手伝いさせていただけるのではないかと思っておりますが……

社長：ああ、その辺はまだまだ改善しなくてはいけないんだろうけど……なかなか手が回らなくてね。

中村：その辺を見直すことで、資金繰りも楽になって借り入れも減らせるかもしれませんので。是非一度ご相談させてくださいませんか。

社長：そうですね。まあ、これまで同様、引き続きよろしく頼みますよ。

中村：かしこまりました。では、ただいまの件については改めてご連絡申し上げますので、よろしくお願いします。

社長：わかりました。

中村：では、今日はこれで失礼いたします。

課題5 評価する

以下の10項目について評価してみよう。
A：よい　B：もう少し努力が必要（その理由）

1. **訪問のあいさつ→本題を切り出し、謝絶の事情説明をする**
   【中村・社長】お互いのあいさつは適切か。　　　　　　　　　　　　　（　　）
   【中村】適切な表現を使って切り出しと訪問の用件を述べているか。謝絶の言い方と
   　　　　事情説明は適切か。　　　　　　　　　　　　　　　　　　　　（　　）
   【社長】不満の根拠を述べ、相手に説明を求める言い方は適切か。　　　（　　）

2. **相手に配慮しながら今回の経緯について話す**
   【中村】まずわび、前置きしてから断る理由や自行の立場を丁寧に述べているか。文
   　　　　末の抑揚は適切か。　　　　　　　　　　　　　　　　　　　　（　　）
   【社長】感謝の気持ちを表しながら論理的に反論しているか。　　　　　（　　）
   【中村】相手を一度受け入れてから、自行の本音や状況を述べているか。文末の表現
   　　　　は適切か。　　　　　　　　　　　　　　　　　　　　　　　　（　　）

3. **今後のつきあいを踏まえたやりとり→終わりのあいさつ**
   【中村】相手に配慮しながら新しい提案を述べているか。敬語は適切か。（　　）
   【社長】相手を受け入れながら、自社の状況を述べているか。取引継続の意思を適切
   　　　　に表しているか。　　　　　　　　　　　　　　　　　　　　　（　　）
   【中村・社長】話を切り上げる言い方、終わりのあいさつは適切か。　　（　　）

● **全体を通して**
   【中村・社長】全体の流れはスムーズか。　　　　　　　　　　　　　　（　　）

第9課 インタビュー・取材

インタビューをするときに最も大切なのは、限られた時間の中でいかに相手から必要な情報を聞き出すかということです。この課ではスムーズに情報収集するための戦略と効果的な表現を学習します。

課題1 ロールプレイにチャレンジ

ホライズン証券研究所のチャンさんは、情報収集のため某メーカー広報部長の山本さんを訪ねる。

立場：チャン(インタビューする人) ＜ 山本(インタビューされる人)

1. 訪問のあいさつ→名刺交換

    山本：待たせたことをわびる。
    チャン：時間をもらったことに礼を言う。
    山本：返す。
    チャン：社名と名前を言って、あいさつする。(名刺を出す)
    山本：部署・役職と名前を言って、あいさつする。(名刺を交換する)
    　　　椅子を勧める。
    チャン：礼を言って座る。

2. インタビューの目的→相手に賛同しながら質問のための雰囲気を作る

    チャン：電話で事前に話したとおり、山本の会社の業績と今後の事業展開を聞くために来社したと言う。好調のポイントを教えてほしいと相手をほめる。
    山本：業界全体が伸びているからと謙遜して答える。
    チャン：返す。

3-a. 質問する→相手の回答を更に発展させて質問する

チャン：連結営業利益が前年比10%増と過去最高になった理由を聞く。

山本：衣料雑貨などの国内販売が好調だった。また、海外事業が大きく伸びたことが貢献した。そして、それが不振のファニチャー部門をカバーしたからだと答える。

チャン：海外の具体的地域を尋ねる。

山本：米国だと強調する。個人消費が伸び、売り上げ増に直結したからと理由を言う。

チャン：納得する。

3-b. 次の質問をする→相手の回答について詳細な説明を求める

チャン：業績が好調に推移している中で、不安材料は何かと尋ねる。

山本：知っていると思うが、原材料費の高騰が少し心配だと答える。上がり方が急激だからとつけ加える。

チャン：どの業界も困っているようだと同意し、対策を尋ねる。

山本：仕入先を集約して一括購入を増やしたり、長期契約やまとめ買いなど調達手段を変えるなどの工夫をしたりして、高騰分を吸収するよう努力しているが、厳しいと言う。

チャン：あいづちを打つ。いろいろやっていることに感心する。

山本：あいづちを打つ。

4．相手から大切な情報を聞き出す

チャン：価格への転嫁の可能性について尋ねる。

山本：はっきりしたことは言えないが、いずれ考えざるを得ないだろうと言う。

チャン：それはいつごろか、よければ教えてほしいと尋ねる。

山本：まだ白紙の段階だと答える。

チャン：返す。

5．話をまとめる→終わりのあいさつ

チャン：感想を言い、礼を言う。

山本：返す。役に立てればうれしいと言う。

チャン：終わりのあいさつをする。

課題2 戦略会話に沿ってスムーズに話す

戦略会話1 訪問のあいさつ→名刺交換

立場：B（インタビューする人）　＜　A（インタビューされる人）　🎧55

A1：どうも＿＿＿＿①＿＿＿＿。
B1：いいえ。今日は、お忙しいところ＿＿＿＿②＿＿＿＿ありがとうございます。
A2：いえ、どういたしまして。
B2：私、（　自社名　）の（　名前　）と申します。どうぞよろしくお願いいたします。
A3：（　部署・役職　）の（　名前　）です。よろしくお願いします。

　　→名乗り合って名刺交換する

　　まあ、どうぞおかけください。
B3：ありがとうございます。では、失礼します。

下の表現を使って、戦略会話を完成させなさい。

---
①お待たせしました／お待たせしてすみません／お待たせして申し訳ございません
②お時間をいただきまして／お時間を作っていただいて／
　お時間をちょうだいしまして

第9課：インタビュー・取材

戦略会話2　インタビューの目的→相手に賛同しながら質問のための雰囲気を作る

立場：B（インタビューする人）　＜　A（インタビューされる人）　🎧56

B3：早速ですが、今日は、先日お電話でお話しさせていただきましたように、

　　　　____①____について____②____と思いまして参りました。→訪問の目的を述べる

　　　　____③____ものですから。→相手をほめる

A4：____④____……　→謙遜する

B4：いえいえ。

下の表現を使って、戦略会話を完成させなさい。

①御社の業績と今後の事業展開／御社の人材育成プログラム／
　御社の環境問題への取り組み

②お話を伺いたい／お話をお聞きしたい／いろいろお聞かせいただければ

③業績好調のポイントをぜひ教えていただきたいと思った／
　かねてより評判の高い御社の社員教育を参考にさせていただきたいと考えた／
　御社の積極的な姿勢をぜひ取材させていただきたいと思った

④いやあ……まあ、業界全体が伸びてますからねぇ／
　まだまだですよ、至らないところが多々ありますから／
　いや、それほどでも……まだ道半ばですから

課題2：戦略会話に沿ってスムーズに話す

<練習> 名詞化された表現

下線部が同じ意味になるように、例のように動詞を使わない形にして、口頭練習しなさい。

例) 明日、ヒカリ産業と打ち合わせる件なんですが……
　　→ （明日のヒカリ産業との打ち合わせ）の件なんですが……

1) 信用力が低い企業に向けた融資が焦げついていることが深刻化していますが……
　　→ （　　　　　　　　）が深刻化していますが……

2) 国内経済が急激に減速していることに対して、何らかの対策を早急に講じる必要があるでしょう。
　　→ （　　　　　　　　）を早急に講じる必要があるでしょう。

3) 業務を外部に委託した場合のメリットとデメリットを検討する必要があります。
　　→ （　　　　　　　　）の必要があります。

4) A社から提案された買収ファンドを設立する案が賛成多数で可決されました。
　　→ （　　　　　　　　）案が賛成多数で可決されました。

5) 原油価格が高騰したことで、値上がり分を商品価格に転嫁するのはやむを得ない措置ではないかと思います。
　　→ （　　　　　　　　）はやむを得ない措置ではないかと思います。

> **❗ ここがポイント！　～長い名詞に慣れよう～**
>
> 上司に報告したり、交渉や会議の場で自分の見解を簡潔に述べる際によく使われる。動詞を使った表現より、硬さを出す効果もある。
>
> 【解答例】
> 1) 信用力の低い企業への融資の焦げつき
> 2) 国内経済の急激な減速に対する何らかの対策
> 3) 業務の外部委託におけるメリットとデメリットの検討
> 4) A社からの提案による買収ファンドの設立
> 5) 原油価格の高騰による値上がり分の商品価格への転嫁

<応用問題>

長い名詞の形を使いながら、自分の場面で戦略会話1、2を続けて会話を作りなさい。

戦略会話 3-a　質問する→相手の回答を更に発展させて質問する

立場：B（インタビューする人）　＜　A（インタビューされる人）

B4：まず、＿＿＿＿＿＿①＿＿＿＿＿＿お考えでしょうか。→はじめの質問をする
A5：そうですね、＿＿＿＿＿＿②＿＿＿＿＿＿。＿＿＿＿＿＿③＿＿＿＿＿＿ので。
　　→答えて、それを補強する
B5：＿＿＿＿＿＿④＿＿＿＿＿＿。具体的には＿＿＿＿＿＿⑤＿＿＿＿＿＿でしょうか。
　　→相手の回答を更に発展させて質問する
A6：ええ、＿＿＿＿＿＿⑥＿＿＿＿＿＿。＿＿＿＿＿＿⑦＿＿＿＿＿＿。
　　→答えを一つ強調して挙げ、補強する
B6：なるほど。

下の表現を使って、戦略会話を完成させなさい。

①連結営業利益が前年比10％増と、過去最高となった要因は何だと／
　人材育成で一番大切なのは何だと／
　環境問題に取り組む上で最も難しい点はどういったことだと
②衣料雑貨などの国内販売が好調だったことに加え、海外事業が大きく伸びたことが貢献しました／
　社員のやる気を引き出すことです／コストとの折り合いですね
③振るわなかったファニチャー部門を十分カバーしてくれました／
　前向きに仕事に取り組んでもらえれば、成果も上がります／
　すぐに利益を生む話ではありません
④そうですか／おっしゃるとおりですね／確かに
⑤どの地域／どのようなことをされているん／
　どのようにその点を解決していらっしゃるん
⑥何といっても米国ですね／まず評価方法を全面的に見直しました／
　何よりも会社の理念として取り組むことです
⑦個人消費の伸びが大きく、それが売り上げ増に直結したと思われます／
　一人一人の多面的な能力と個性が反映されるような仕組みとしました／
　長期的に予算を確保しなければなりませんので

課題2：戦略会話に沿ってスムーズに話す

戦略会話 3-b　次の質問をする→相手の回答について詳細な説明を求める

立場：B（インタビューする人） ＜ A（インタビューされる人）　🎧58

B6：＿＿＿＿①＿＿＿＿。→次の質問をする
A7：＿＿＿②＿＿＿。＿＿＿＿③＿＿＿＿。→答えて補強する
B7：＿＿＿④＿＿＿。→あいづちを打つ
　　＿＿＿＿⑤＿＿＿＿でしょうか。→相手の回答について詳細な説明を求める
A8：そうですね、＿＿＿＿⑥＿＿＿＿。
B8：＿＿＿⑦＿＿＿。→あいづちを打つ
A9：そうですね。

下の表現を使って、戦略会話を完成させなさい。

> ①業績が好調に推移している中で、不安材料などがありましたらお聞かせいただければと思いますが／
> 　社員の能力を伸ばすための取り組みとしてはどういったことをされていますか／
> 　どのような経緯から始められたんでしょうか
> ②そうですね、ご存知のとおり、原材料費が高騰しておりますから、その点がちょっと…／
> 　そうですね、例えば一つの専門分野にこだわらず、複数の分野にまたがるような様々なプログラムを用意しています／
> 　いやあ、工場の環境問題で争議が起きたんですよ
> ③上がり方が急激ですし／
> 　社内研修だけでなく実務体験なども幅広く行っています／
> 　それが発展して環境への意識が高まったんですよ
> ④確かにどこも頭を悩ませているようですね／そうですか／なるほど
> ⑤御社ではどのような対策を取っていらっしゃるん／
> 　実務体験とおっしゃいますと、どんなことをなさるん／
> 　争議とおっしゃいますと、具体的には何が問題だったん
> ⑥仕入先の集約による一括購入を増やしたり、長期契約やまとめ買いなど、調達手段を工夫して高騰分を吸収するように努力していますが、なかなか厳しいですね／
> 　具体的には、法律や特許事務所、あるいは研究所に派遣したり、販売や流通の現場に出向させたり、といったことです／
> 　一番問題だったのは、土壌から有害物質が出たことですね

⑦そうですか。いろいろやっていらっしゃるんですね／
なるほど、人材投資されているんですね／
そうだったんですか。それは……大変なことでしたね

<練習> あいづちの使い方

「そうですね」「そうですか」以外で、相手に同意を示す適当なあいづちを入れなさい。
ただし、それぞれの（　　　　　）には違うものを入れること。

1) a：商売は信用が最も大切であり、一度失うと取り戻すのは並大抵のことではないと思いますが。
   b：（　　　　　）

2) a：何事もトップが先頭に立って旗を振らないと、絵に描いた餅で終わってしまいますよ。
   b：（　　　　　）

3) a：コンプライアンスと言っても、製品や販売方法だけではなく、最近は、環境や人権問題など幅広い分野への対応が必要になっているのではないでしょうか。
   b：（　　　　　）

> **● ここがポイント！　～使い過ぎに注意～**
>
> 「なるほど」は、よく使われるあいづちの一つだが、目上の人に対してあまり使いすぎると尊大な印象を与えてしまう。同じ意味を示す「そうですか」「確かにそうですね」などを中心に、時折まぜるぐらいのほうがいいだろう。
>
> 　　　【解答例】1）2）3）確かに／なるほど／おっしゃるとおりです／
> 　　　　　　　　　　　　など、どれも可

<応用練習>

適切な表現を使いながら、自分の場面で戦略会話3-a、3-bを続けて会話を作りなさい。

戦略会話4　相手から大切な情報を聞き出す

```
立場：B(インタビューする人) ＜ A(インタビューされる人)
```
🎧59

B9：＿＿＿＿＿①＿＿＿＿＿。→質問する
A10：＿＿＿＿②＿＿＿＿が、まあ、＿＿＿＿③＿＿＿＿。→あいまいに答える
B10：そうですか。あの、＿＿＿＿④＿＿＿＿……→遠慮がちに質問する
A11：＿＿＿⑤＿＿＿。→答えを避ける
B11：そうですか。

下の表現を使って、戦略会話を完成させなさい。

---
①販売価格への転嫁についてはどのように……／
　人材の流出についてですが、転職する人はどのくらいいるんでしょうか／
　現在御社全体で環境対策にどのくらいコストをかけていらっしゃるんでしょうか
②まだ、はっきりしたことは申せません／若干はいます／
　そのときの業績にもよります
③そうしたことも視野に入れて考えざるを得ないとは思っています／
　定着率は高いほうだと思いますよ／
　設備投資の一部と見なして必ず確保しています
④お差しつかえない範囲で結構ですので、だいたいいつ頃をお考えなのか、お聞かせ
　いただけないでしょうか／昨年の場合ですと、どういった感じだったんでしょう／
　できましたら具体的な数字を
⑤いやいや、まだ白紙の段階ですよ／
　個人的な事情の場合も絡んできますので、お答えするのは難しいですね／
　いやあ、年によってかなり違いますから

第9課：インタビュー・取材

<練習> 敬語の使い方④「～いただけないでしょうか」と「～いただけないんでしょうか」

適切なほうを選び、その意味について考えなさい。

1) a：消費者物価の値上がりが目立ちますが。
   b：ええ、しばらくは続くでしょう。
   a：そうですか。今までですと、こういう場合金利は上がりますが、今回は逆に下がっています。これはどういうことか教えていただけ（　ないでしょうか・ないんでしょうか　）。

2) a：契約打ち切りということですが、どうして継続していただけ（　ないでしょうか・ないんでしょうか　）。

3) a：これ以上の値引きはうちとしてもちょっと……
   b：そこを何とか、お考えいただけ（　ないでしょうか・ないんでしょうか　）。

4) a：「不測の事態の場合はこの限りではない」という条項がありますよね。今回はこれに当たると思いますが、なぜ適用されないのかご説明いただけ
   （　ないでしょうか・ないんでしょうか　）。

5) a：これは社外秘になっておりますので、外部の方にはお出しできないんですが……
   b：では、私どもにはそのデータを見せていただけ（　ないでしょうか・ないんでしょうか　）。
   a：ええ、申し訳ありませんが……

> **❗ ここがポイント！　～言い間違えに注意～**
>
> 「～いただけないでしょうか」：相手に丁寧に頼むとき　1)・3)・4)
> 「～いただけないんでしょうか」：①～してもらえないのがなぜなのか相手に説明を
> 　　　　　　　　　　　　　　　　　求めるとき　2)
> 　　　　　　　　　　　　　　　　②～してもらえないことに不満を感じながら、相
> 　　　　　　　　　　　　　　　　　手に確認を求めるとき　5)
> どちらもビジネスではよく使われるが、丁寧に頼むべき場面で「～いただけないんでしょうか」と言い間違えないようにしよう。
>
> 　　　【解答】1) ないでしょうか　2) ないんでしょうか　3) ないでしょうか
> 　　　　　　4) ないでしょうか　5) ないんでしょうか

課題2：戦略会話に沿ってスムーズに話す

戦略会話5　話をまとめる→終わりのあいさつ

立場：B（インタビューする人）　＜　A（インタビューされる人）

B11：＿＿＿＿①＿＿＿＿。→感想を述べる
　　　今日は、お忙しいところお時間をいただきましてありがとうございました。
A12：いえ、どういたしまして。＿＿＿＿②＿＿＿＿。
B12：＿＿＿＿③＿＿＿＿よろしくお願いいたします。
　　　→今後のつきあいを踏まえたあいさつをする。
　　　では、失礼いたします。

下の表現を使って、戦略会話を完成させなさい。

①貴重なお話でした／大変勉強になりました／いろいろためになりました
②お役に立てれば幸いですが／参考にしていただければ……／
　そう言っていただけると幸いです
③今後とも／また何かありましたら／またどうぞ

＜応用練習＞

適切な表現を使いながら、自分の場面で戦略会話4、5を続けて作りなさい。

課題3 戦略会話1〜5を通して話す

🎧55

山本：どうもお待たせしました。

チャン：いいえ。今日は、お忙しいところお時間をいただきましてありがとうございます。

山本：いえ、どういたしまして。

チャン：私、ホライズン証券研究所のチャンと申します。どうぞよろしくお願いいたします。

山本：広報部長の山本です。よろしくお願いします。まあ、どうぞおかけください。

チャン：ありがとうございます。では、失礼します。

🎧56

チャン：早速ですが、今日は、先日お電話でお話しさせていただきましたように、御社の業績と今後の事業展開についてお話を伺いたいと思いまして参りました。業績好調のポイントをぜひ教えていただきたいと思ったものですから。

山本：いやあ……まあ、業界全体が伸びてますからねぇ……

チャン：いえいえ。

🎧57

チャン：まず、連結営業利益が前年比10%増と、過去最高となった要因は何だとお考えでしょうか。

山本：そうですね、衣料雑貨などの国内販売が好調だったことに加え、海外事業が大きく伸びたことが貢献しました。振るわなかったファニチャー部門を十分カバーしてくれましたので。

チャン：そうですか。具体的にはどの地域でしょうか。

山本：ええ、何といっても米国ですね。個人消費の伸びが大きく、それが売り上げ増に直結したと思われます。

チャン：なるほど。

🎧58
チャン：業績が好調に推移している中で、不安材料などがありましたらお聞かせいただければと思いますが。
山本：そうですね、ご存知のとおり、原材料費が高騰しておりますから、その点がちょっと……上がり方が急激ですし。
チャン：確かにどこも頭を悩ませているようですね。御社ではどのような対策を取っていらっしゃるんでしょうか。
山本：そうですね、仕入先の集約による一括購入を増やしたり、長期契約やまとめ買いなど、調達手段を工夫して高騰分を吸収するように努力していますが、なかなか厳しいですね。
チャン：そうですか。いろいろやっていらっしゃるんですね。
山本：そうですね。

🎧59
チャン：販売価格への転嫁についてはどのように……
山本：まだ、はっきりしたことは申せませんが、まあ、そうしたことも視野に入れて考えざるを得ないとは思っています。
チャン：そうですか。あの、お差しつかえない範囲で結構ですので、だいたいいつ頃をお考えなのか、お聞かせいただけないでしょうか……
山本：いやいや、まだ白紙の段階ですよ。
チャン：そうですか。

🎧60
チャン：貴重なお話でした。今日は、お忙しいところお時間をいただきましてありがとうございました。
山本：いえ、どういたしまして。お役に立てれば幸いですが。
チャン：今後ともよろしくお願いいたします。では、失礼いたします。

<応用練習>

自分の場面で戦略会話1〜5を通して話しなさい。

課題 4 実戦会話 以下の流れに沿って会話する

食品メーカー花丸食品のカーターさんは、会社からコンプライアンス（法令順守）策の強化を命じられ、その情報収集のため、同業他社のコンプライアンス部の高橋部長を訪ねる。

立場：カーター（インタビューする人） ＜ 高橋（インタビューされる人）

1. **訪問のあいさつ→名刺交換**

    高橋：待たせたことをわびる。

    カーター：時間をもらったことに礼を言う。

    高橋：返す。

    カーター：社名と名前を言って、あいさつする。（名刺を出す）

    高橋：部署・役職と名前を言って、あいさつする。（名刺を交換する）
    椅子を勧める。

    カーター：礼を言って座る。

2. **インタビューの目的→相手に賛同しながら質問のための雰囲気を作る**

    カーター：電話で事前に話したとおり、高橋の会社のコンプライアンスへの対応状況を聞くために来社したと言う。この分野でとても進んでいると聞いたからと相手をほめる。

    高橋：恥ずかしいと謙遜する。知ってのとおり、2年ぐらい前に、商品の不当表示で販売停止の行政処分を受け、大きなダメージを被ったのでと説明する。

    カーター：そんな中で、わずか2年で見事に復活したのは大したものだと感心する。

    高橋：謙遜する。

3-a. **質問する→相手の回答を更に発展させて質問する**

    カーター：コンプライアンス強化で一番大切なことは何か尋ねる。

    高橋：一番は経営トップの意識とリーダーシップだと答える。儲けに直結する話ではなく、短期的にはコストがかかることだからと言う。

    カーター：同意する。具体的に重視していることを尋ねる。

高橋：教育とチェック体制だと答える。問題が起きないようにすることが最も大切なことなので、教育は重要だと言う。多面的な監視体制を作り上げることだとつけ加える。
　　　カーター：納得する。

3-b. 次の質問をする→相手の回答について詳細な説明を求める
　　　カーター：どのように教育をしているか尋ねる。
　　　高橋：新入社員、中堅社員、幹部社員の研修では必ず取り上げる。部単位で毎月具体例などを使って勉強会を行い、コンプライアンス部に結果を報告させていると言う。
　　　カーター：あいづちを打って、監視体制について尋ねる。
　　　高橋：製造過程での各種検査、内部監査や外部監査の強化をしたと言う。何より重要なのは、内部の従業員の声を受け止めるチャネルをきちんと作ることだと答える。
　　　カーター：同意する。

4．相手から大切な情報を聞き出す
　　　カーター：高橋の会社のコンプライアンスに関する社内規定を見せてほしいと遠慮がちに頼む。
　　　高橋：社外秘になっているからと丁重に断る。
　　　カーター：納得するが、話に聞いた組織や権限の枠組みをどうルールに織り込んでいるかということだけでも見たかったからと、一応押してみる。
　　　高橋：謝って、秘密にするようなことが書いてあるわけではないが、規則だからと婉曲に断る。

5．話をまとめる→終わりのあいさつ
　　　カーター：図々しいお願いをしたことを謝る。勉強になったこと、時間をもらったことに礼を言う。
　　　高橋：返す。役に立てればうれしいと言う。
　　　カーター：終わりのあいさつをする。

<課題4　会話例>

🎧61

高橋：どうも、お待たせしてすみません。

カーター：いいえ。本日は、お忙しいところお時間をちょうだいしましてありがとうございます。

高橋：いえ、どういたしまして。

カーター：私、花丸食品のカーターと申します。どうぞよろしくお願いいたします。

高橋：コンプライアンス部、部長の高橋です。よろしくお願いします。まあ、どうぞおかけください。

カーター：ありがとうございます。では、失礼します。

🎧62

カーター：早速ですが、今日はお電話でもお話しさせていただいたとおり、御社のコンプライアンスへの対応状況についてお伺いしたいと思いまして参りました。御社がこの分野では大変進んでいらっしゃるとお聞きしたものですから。

高橋：いえ、お恥ずかしい限りです。ご存知のとおり、2年程前ですが、当社は商品の不当表示で販売停止の行政処分を受け、大変なダメージを被りましたので。

カーター：そんな中、御社はわずか2年で見事に復活を遂げられたんですから、大したものです。

高橋：いえいえ。

🎧63

カーター：それで、まず、どういったことがコンプライアンス強化の要であるとお考えでしょうか。

高橋：そうですね。何といっても、経営トップの意識とリーダーシップですね。儲けに直結する話ではなく、短期的にはむしろコストがかかることですし。

カーター：確かにそうですね。具体的に御社で重視されているのはどんなことでしょうか。

高橋：やはり、教育とチェック体制です。問題が起きないようにすることが最も大切ですから、教育は重要です。そして、多面的な監視体制を構築することです。

カーター：なるほど。

🎧64
カーター：教育はどんなふうになさっているんでしょうか。
高橋：新入社員や中堅社員、幹部社員の研修では必ず取り上げます。また、部単位で毎月具体例などを使って勉強会を実施し、当部に結果を報告させています。
カーター：そうですか。監視体制についてはどんなことをされているんでしょうか。
高橋：ええ、製造過程での各種検査、それに内部監査や外部監査を強化しました。何より重要なのは、内部の従業員の声を受け止めるチャネルをきちんと作ることです。
カーター：おっしゃるとおりですね。

🎧65
カーター：ところで、大変恐縮ですが、もしできましたら、御社のコンプライアンスに関する社内規定を拝見させていただけないかと……
高橋：いや、それは大変申し訳ございませんが、社外秘となっておりますので……
カーター：そうですか……お話にあった組織や権限の枠組みをどうルールに織り込んでいらっしゃるのかということだけでもと思ったものですから……
高橋：すみません、これといって秘密にするようなことが書いてあるわけではないんですが、一応規則なものですから……

🎧66
カーター：いえ、あつかましいことをお願いして申し訳ございませんでした。大変勉強になりました。今日は、お忙しいところお時間をいただきまして、本当にありがとうございました。
高橋：いえ、どういたしまして。お役に立つことがあれば幸いですが。
カーター：また何かありましたらよろしくお願いいたします。では、失礼いたします。

課題5 評価する

以下の10項目について評価してみよう。
A：よい　B：もう少し努力が必要（その理由）

1. 訪問のあいさつ→名刺交換
   【高橋・カーター】お互いのあいさつと自己紹介は適切か。名刺交換はスムーズか。
   （　　）

2. インタビューの目的→相手に賛同しながら質問のための雰囲気を作る
   【カーター】切り出しの言い方は適切か。訪問の目的について相手をほめながら述べているか。
   （　　）
   【高橋】謙遜しながら、今日に至った経緯を説明しているか。　　　　　（　　）

3-a. 質問する→相手の回答を更に発展させて質問する
3-b. 次の質問をする→相手の回答について詳細な説明を求める
   【カーター】適切な表現を使って聞きたいトピックを提示してから、質問しているか。敬語は適切か。
   （　　）
   【高橋】接続詞や強調表現を効果的に使いながらわかりやすく答えているか。
   （　　）
   【カーター】あいづちを適切に打ちながら、相手の答えを展開して質問しているか。
   （　　）

4. 相手から大切な情報を聞き出す
   【カーター】適切な前置き表現やあいづちを使って、遠慮がちに頼んでいるか。
   （　　）
   【高橋】相手に配慮しながら断ったり、わびてから柔らかく事情説明しているか。
   （　　）

5. 話をまとめる→終わりのあいさつ
   【高橋・カーター】終わりのあいさつは適切か。　　　　　（　　）

● 全体を通して
   【高橋・カーター】流れはスムーズか。　　　　　（　　）

第10課
議論する

ビジネスの場での議論の目的は、強い言葉や言い方で相手を言い負かすことではありません。たとえ意見が違っても、相手を尊重しながら否定的な言葉を使わずに自分の考えを述べることが大切です。この課では意見をサポートする言い方を含めた効果的な表現や戦略を学習します。

課題1 ロールプレイにチャレンジ

三友銀行でプロジェクト推進部、ファイナンス部、市場調査部の行員が議論している。
議題：電子機器メーカー北東電子工業の海外工場建設プロジェクトへの融資の件

立場：プロジェクト推進部・チェン（提案する人） ＝ 市場調査部・本田（提案に賛成する人）
　　　＜　ファイナンス部・石井（提案に反対する人）

---

1. 提案者が案件を説明し、見解を述べる

チェン：今日の本題に入ると言う。
　　　　北東電子工業のインド工場建設の件は、手元の資料にもあるが、同社にとって価格競争力強化を図るとともに、成長力のあるアジア市場に布石を打つ大事業である。そして、社の将来を託すものだと説明する。
　　　　雇用確保や技術移転の面でも現地の全面的支援が得られると聞いていると補足説明する。
　　　　技術力に定評のある北東電子を引き続き支援したいので、前向きに検討したいと見解を述べる。

2-a. 議論する～質問の形で反対の意を表す→婉曲表現を使って質問に答える～

石井：総事業費100億円だと聞いたと言い、詳細を聞きたい様子を見せる。
チェン：返事をする。北東電子、関連会社、取引先、現地企業も一部出資して新会社インド北東エレクトロニクス社を設立し、そこが主体になると説明する。
　　　　資本金は25億円で北東電子本体の持ち分は51％だと言う。
石井：日本企業としては初めての進出地域になると聞いたが、カントリーリスクを考えると危険すぎるのではないかと懸念を表す。

チェン：一応同意する。しかし人件費などのコスト抑制、将来的なアジア市場のシェア確保のための先行投資なども含めて総合的に考えると、避けては通れない道ではないかと答える。

石井：チェンの意見を認めるが、北東電子としては冒険になると懸念する。治安、人材、部品の安定調達、インフラ、為替や金利の見通し、税制などと例を並べて、不確定要素が多すぎると反論する。

2-b. 議論する〜意見をサポートする→提案者が資料を使って質問に答える〜

本田：その辺のことについては手元にある北東電子の事前調査レポートに詳しく書いてあると説明する。不確定要素があることは認めながら、今の判断では中長期的に期待できるメリットを考えると、ほぼ取り得るリスクだと思うとチェンを支持する。

チェン：キャッシュフロー予測については手元の資料5ページを見るように言う。原材料費、製品価格、出荷量、金利など前提を変えてシナリオが描かれていると説明する。中心シナリオでは8年で初期投資回収の見込みなので、財務的にはそれほど無理のない計画だと言う。

石井：スキームは、本体の出資金が自己資金で、残りの75億円を北東電子が銀行から借り入れて調達し、新会社に融資するのかと確認する。

チェン：同意する。

3. 次回の議論に持ち越す

チェン：ファイナンス部としての意見を聞く。

石井：やるとしても丸抱えはできないので、シンジケーションを組むことも視野に入れて考える必要があると言う。部に持ち帰って検討し、来週初めあたりに協議したいと言う。

チェン：了解する。

石井：話を終わらせる。

チェン：返す。

課題2　戦略会話に沿ってスムーズに話す

戦略会話1　提案者が案件を説明し、見解を述べる

立場：A（提案する人）　🎧67

A1：では、今日の本題に＿＿＿＿＿①＿＿＿＿＿。

＿＿＿＿＿②＿＿＿＿＿の件ですが、これは、＿＿＿＿＿③＿＿＿＿＿。
→前置きして説明する

また、＿＿＿＿＿④＿＿＿＿＿です。→説明を補強する

＿＿＿＿＿⑤＿＿＿＿＿、私どもとしては、＿＿＿＿＿⑥＿＿＿＿＿。

→説明をまとめて、見解を述べる

下の表現を使って戦略会話を完成させなさい。

①移らせていただきます／入らせていただきます／ついてご説明させていただきます
②北東電子工業のインドでの工場建設／来年度のサプリメントの販売戦略／
　今後の人材の確保
③お手元の資料にもありますように、同社の価格競争力強化を図るとともに、成長力のあるアジア市場に布石を打つ大事業です。同時に、社の将来を託すものでもあります／
　既にお配りしてある資料のとおり、市場が急拡大している分野であり、今後大きな成長が見込めるものです／
　資料にもあると思いますが、当社の将来を左右する最重要課題です
④雇用確保や技術移転という面からも、現地の全面的な支援が得られるということ／
　新規参入も相次ぎ、競争が激しくなっているところ／
　グローバルな戦いを勝ちぬくためには不可欠なもの
⑤こうしたことから／以上のことから／従いまして
⑥技術力に定評のある同社を引き続き支援したく、前向きに検討したいと考えています／来期は一層の広告宣伝活動を展開したいと考えます／
　優秀な人材の確保とともに、その多様化を図ることが急務となっています

<練習>　複合動詞「動詞 ＋ぬく」と「動詞 ＋きる」

「動詞 ＋ぬく」か「動詞 ＋きる」を適当な形にして（　　　）に入れなさい。

1）a：500ケースもあったのに、たった二日間で売り（　　　　）たんだって？
　　b：うん、在庫処分でね。4割引で販売したんだよ。

2）a：聞いた？　リン課長、部長に昇進するそうですよ。
　　b：ほんと！　取引先の理不尽な要求にも耐え（　　　　）てやってきた苦労が、やっと報われたね。

3）a：コピー、どのくらいかかりそう？
　　b：ごめん、まだしばらくかかると思う。セミナー用の資料作成なんだけど……すごい量で、あっという間にコピー用紙3箱使い（　　　　）ちゃった。
　　a：お疲れさま……

4）a：会社辞めるって聞いたけど……考え直す気持ちはないの？
　　b：うん……さんざん考え（　　　　）て出した結論だから……

5）a：見て。チーフの顔。あんなに疲れ（　　　　）た顔しちゃって……
　　b：例の事故の後処理を上から押しつけられたらしいよ。気の毒にね……

6）a：どう？　例の新ソフトは。
　　b：それがさ、数え（　　　　）ないほどバグが出ちゃって。修正に相当時間がかかりそうなんだ。
　　a：そりゃあ大変だね。

> **❗ ここがポイント！**
>
> 「動詞 ＋ぬく」：つらく苦しい時間のかかることを最後までやる場合によく使う。
> 　　　　　　　　　　　　　　　　　　　　　　　　　　　2）・4）
> 「動詞 ＋きる」：「意志動詞 ＋きる」＝ある決まった量を全部〜するときによく使う。
> 　　　　　　　　　　　　　　　　　　　　　　　　　　　1）・3）・6）
> 　　　　　　　　「無意志動詞 ＋きる」＝完全にそういう状態であるというときによく使う。
> 　　　　　　　　　　　　　　　　　　　　　　　　　　　5）
> 【解答】1）きっ　2）ぬい　3）きっ　4）ぬい　5）きっ　6）きれ

<応用練習>

適切な表現を使いながら、自分の場面で戦略会話1を作りなさい。

戦略会話2-a　議論する〜質問の形で反対の意を表す→婉曲表現を使って質問に答える〜

立場：A（提案する人） ＜ 　B（提案に反対する人）　🎧68

B1：＿＿＿＿＿①＿＿＿＿＿ということですが……
　　→相手の言葉を引用して、詳細な説明を促す

A2：はい、＿＿＿＿＿②＿＿＿＿＿。＿＿＿＿＿③＿＿＿＿＿。
　　→詳細を説明し、補強する

B2：そうですか。＿＿＿＿＿④＿＿＿＿＿が……＿＿＿＿＿⑤＿＿＿＿＿と、
　　＿＿＿＿＿⑥＿＿＿＿＿か。→根拠を述べてから、質問の形で反対の意を表す

A3：まあ、＿＿＿＿＿⑦＿＿＿＿＿が、＿＿＿＿＿⑧＿＿＿＿＿と、
　　＿＿＿＿＿⑨＿＿＿＿＿……
　　→相手を認めながら、根拠を述べて婉曲に反論する

B3：＿＿＿＿＿⑩＿＿＿＿＿が、＿＿＿＿＿⑪＿＿＿＿＿よね。
　　＿＿＿＿＿⑫＿＿＿＿＿んじゃないでしょうか。
　　→相手に理解を示すが、質問の形で更に反論する

下の表現を使って、戦略会話を完成させなさい。

①総事業費は100億円／顧客ターゲットを広げる／専門家の採用を推進する
②北東電子と関連会社、取引先、それに現地企業も一部出資して新会社インド北東エレクトロニクス社を設立し、そこが主体となります／
　これまでは20〜30代中心でしたが、来期は対象を広げたいと考えています／
　即戦力として成果を上げられる人材ということです
③資本金は25億円で、北東電子本体の持ち分は51％です／
　シニア層も含めた広告展開で臨みたいと／
　国内外を問わず中途採用を積極的にやっていこうと考えています
④日本の企業としては初めての進出地域だそうです／
　どこも同じような戦略を立てているようです／今までもやってきました
⑤カントリーリスクを考える／当社の独自性という観点から見る／
　定着化ということから言う
⑥ちょっとリスキーすぎません／ちょっと安易な感じもしません／どうでしょう
⑦確かにリスクはあります／そう言えなくもありません／そういう面もあります

⑧人件費などのコスト抑制、将来的なアジア市場でのシェア確保のための先行投資といったことも含めて総合的に考える／
超高齢社会の到来を考える／必要な人的リソースということからする
⑨避けては通れない道であろうかと／必然的な選択ではないかと思われますが／
社内で育てている時間はないのではないでしょうか
⑩それはわかります／それはそうなんです／おっしゃることはよくわかります
⑪北東電子としてはけっこう冒険です／予算としては今期の50％増になるんです／
これまでも1年で3分の1が辞めています
⑫治安や人材、部品の安定調達、インフラ、それに為替や金利の見通し、税制など、不確定要素が多すぎる／ちょっとやりすぎな／
社内でいかに人材を育てるかというほうが先決な

<練習> 「～という＋名詞」と「～といった＋名詞」の使い方

以下の文について意味の違いを考えなさい。
1) a：K社が倒産するかもしれないといううわさを聞いた。
　　b：K社が倒産するかもしれないといったうわさを聞いた。
2) a：パート従業員の正社員への登用は十分に進んでいない。正社員化を促進するためには、彼らの処遇をどうするのかという問題を解決しなければならない。
　　b：パート従業員の正社員への登用は十分に進んでいない。正社員化を促進するためには、彼らの処遇をどうするのかといった問題を解決しなければならない。

> **❗ ここがポイント！　～両者の違いを理解して使ってみよう～**
>
> 「～という＋名詞」：「～」＝名詞の内容を表すとき　a
> 「～といった＋名詞」：「～」が名詞の一例であるとき。名詞の内容が「～」のほかにもあるということを表したいときに使う。b
>
> 【解答例】
> 1) a：うわさ＝K社が倒産するかもしれない
> 　　b：うわさ＝K社が倒産するかもしれない＋（例えば）K社がX社に買収されるかもしれない、など
> 2) a：問題＝彼らの処遇をどうするのか
> 　　b：問題＝彼らの処遇をどうするのか＋（例えば）全従業員の評価基準を明確にする、など

課題2：戦略会話に沿ってスムーズに話す

戦略会話 2-b 議論する〜意見をサポートする→提案者が資料を使って質問に答える〜

立場：A（提案する人） ＝ C（提案に賛成する人） ＜ B（提案に反対する人）

C1：＿＿＿①＿＿＿ は、＿＿＿②＿＿＿。
　　→資料を見るよう促す

　　まあ、＿＿＿③＿＿＿、＿＿＿④＿＿＿と、
　　＿＿＿⑤＿＿＿……　→相手を認めながら、根拠を述べてAを支持する

A4：＿＿＿⑥＿＿＿については、＿＿＿⑦＿＿＿をご覧ください。
　　＿＿＿⑧＿＿＿。＿＿＿⑨＿＿＿ので、＿＿＿⑩＿＿＿。
　　→資料を根拠に相手の質問に答える

B4：＿＿＿⑪＿＿＿ということですか……　→資料を見ながら相手に確認する

A5：＿＿＿⑫＿＿＿。

下の表現を使って、戦略会話を完成させなさい。

①その辺のところ／その辺について／その点に関して
②お手元にあります北東電子の事前調査レポートに詳しく書かれています／
　先ほどお配りしたマーケットリサーチをご覧ください／
　こちらのスクリーンの一覧表をご覧いただけますか
③おっしゃるように不確定なファクターはあるものの／確かに経費は増えますが／
　そのような問題はありますが
④現時点の判断では中長期的に期待されるメリットを勘案する／
　実際にこのセグメントが急拡大しているという現実を考える／
　各部からの要求を踏まえる
⑤おおむね取り得るリスクということになろうかと思いますが／
　やらない手はないのではないかと／
　何らかの対応をせざるを得ない時期に来ているのではないかと思われますが
⑥プロジェクトのキャッシュフロー予測／売り上げ収益見込み／
　具体的に求められている人材
⑦お手元の資料の5ページ／こちらのレジュメの2ページ／こちらの表
⑧原材料費、製品価格、出荷量、金利などの前提を変えてシナリオが描かれています／これは今後3年間のセグメント別の展開です／各部署別の要望が出ています
⑨中心シナリオでは8年で初期投資回収という見込みです／

3年後にはシニア層の売り上げ倍増が期待される／

　　専門分野が実に多岐にわたっている

⑩財務的にはそう無理のない計画かと思います／

　　全体としては利益も1.5倍に達するものと見られます／

　　社内で育成するには限界があります

⑪スキームとしては、本体の出資金は自己資金で賄い、残りの75億を北東電子が銀行借り入れで調達し、新会社に融資する／

　　販促費を差し引いて利益が1.5倍／人事としてはやむを得ない

⑫そのとおりです／はい、そうです／ええ、そういうことです

<練習> 「よね」の使い方

「よね」が使えないものを選び、適切な言い方に変えなさい。

1) a：[電話で] 恐れ入りますが、ジャン部長お願いします。

　　b：ジャンですよね。少々お待ちください。

2) a：週明けの経営戦略会議ですが、確か2時からになったんでしたよね。

　　b：ええ、そうです。

3) a：ちょっといいですか。

　　b：何でしょうか。

　　a：稟議書にサインをしたから、役員室に持っていってもらえますか。

　　b：はい、役員室ですよね。

4) a：[電話で] お忙しいところ申し訳ありませんが、契約の写しを明日中にお送りいただけますでしょうか。

　　b：承知しました。明日中ですよね。

> **！ ここがポイント！　〜「よね」に注意〜**
>
> 「〜よね」は相手の注意を引きながら念押しをするときに使われる。2) したがって、ビジネスで上司や客に何かを頼まれた直後に「〜よね」を使って確認すると、相手は十分わかっているはずのことを念押しされたような気がして、くどいという印象を持つ。このようなときは「〜ね」を使う。1)・3)・4)
>
> 【解答】1)「よね」→「ね」　3)「よね」→「ね」　4)「よね」→「ね」

<応用練習>

適切な表現を使いながら、自分の場面で戦略会話2-a、2-bを続けて作りなさい。

課題2：戦略会話に沿ってスムーズに話す

戦略会話3　次回の議論に持ち越す

立場：A（提案する人）　＜　B（提案に反対する人）　🎧70

A5：＿＿＿＿＿①＿＿＿＿＿。→相手の感触を探る

B5：そうですね……まあ、＿＿＿＿＿②＿＿＿＿＿ということになるでしょうね。
　　＿＿＿＿＿③＿＿＿＿＿と思いますが……→断定を避けて返事を保留する

A6：よろしくお願いします。

B6：じゃあ、今日はそういうことで。

A7：お疲れさまでした。

下の表現を使って、戦略会話を完成させなさい。

---

①ファイナンス部としてはどんな感じでしょうか／
　宣伝サイドとしてはどうでしょうか／経営企画部としてはいかがでしょうか

②やるとしても、当行として丸抱えはできないので、シンジケーションを組むことも
　視野に入れて／そのようにするなら、どの媒体にするのか再検討する／
　中途採用するなら、採用した人たちが定着するような人事のシステムをきちんと
　整えてから

③持ち帰って部内で検討して、来週初めあたりにまた協議させていただきたい／
　広告代理店とも相談の上、素案をお出ししたい／
　我々としても、他社の事例を調べたり、専門職の処遇のあり方を至急検討してみたい

＜応用練習＞

適切な表現を使いながら、自分の場面で戦略会話3を作りなさい。

課題3　戦略会話1〜3を通して話す

🎧67

チェン：では、今日の本題に移らせていただきます。北東電子工業のインドでの工場建設の件ですが、これは、お手元の資料にもありますように、同社の価格競争力強化を図るとともに、成長力のあるアジア市場に布石を打つ大事業です。同時に、社の将来を託すものでもあります。また、雇用確保や技術移転という面からも、現地の全面的な支援が得られるということです。こうしたことから、私どもとしては、技術力に定評のある同社を引き続き支援したく、前向きに検討したいと考えています。

🎧68

石井：総事業費は100億円ということですが……

チェン：はい、北東電子と関連会社、取引先、それに現地企業も一部出資して新会社インド北東エレクトロニクス社を設立し、そこが主体となります。資本金は25億円で、北東電子本体の持ち分は51％です。

石井：そうですか。日本の企業としては初めての進出地域だそうですが……カントリーリスクを考えると、ちょっとリスキーすぎませんか。

チェン：まあ、確かにリスクはありますが、人件費などのコスト抑制、将来的なアジア市場でのシェア確保のための先行投資といったことも含めて総合的に考えると、避けては通れない道であろうかと……

石井：それはわかりますが、北東電子としてはけっこう冒険ですよね。治安や人材、部品の安定調達、インフラ、それに為替や金利の見通し、税制など、不確定要素が多すぎるんじゃないでしょうか。

🎧69

本田：その辺のところは、お手元にあります北東電子の事前調査レポートに詳しく書かれています。まあ、おっしゃるように不確定なファクターはあるものの、現時点の判断では中長期的に期待されるメリットを勘案すると、おおむね取り得るリスクということになろうかと思いますが……

チェン：プロジェクトのキャッシュフロー予測については、お手元の資料の5ページをご覧ください。原材料費、製品価格、出荷量、金利などの前提を変えてシナリオが描かれています。中心シナリオでは8年で初期投資回収という見込みですので、財務的にはそう無理のない計画かと思います。

石井：スキームとしては、本体の出資金は自己資金で賄い、残りの75億を北東電子が銀行借り入れで調達し、新会社に融資するということですか……

チェン：そのとおりです。

🎧70

チェン：ファイナンス部としてはどんな感じでしょうか。

石井：そうですね……まあ、やるとしても、当行として丸抱えはできないので、シンジケーションを組むことも視野に入れてということになるでしょうね。持ち帰って部内で検討して、来週初めあたりにまた協議させていただきたいと思いますが……

チェン：よろしくお願いします。

石井：じゃあ、今日はそういうことで。

チェン：お疲れさまでした。

＜応用練習＞

自分の場面で戦略会話1〜3を通して話しなさい。

課題4　実戦会話　以下の流れに沿って会話する

化学品メーカー・K&Sケミカルで、社長、専務、経営企画部長が議論している。
議題：同社の大株主で主力販売先のワールド産業からの、持ち株比率を大幅に増やし
　　　筆頭株主になるという提案の件

立場：経営企画部長（提案する人）　＜　専務（提案に賛成する人）　＜　社長（提案に反対する人）

1. **提案者が案件を説明し、見解を述べる**

　部長：今日の本題に入ると言う。昨今のグローバル化、自由化された資本市場では、国内外の企業、ファンドから敵対的買収の危険に常にさらされている。そうした中、先日、主力取引先のワールド産業から提案があったと議題の説明をする。配付してある資料にもあるが、自社が増資して、それをワールド産業が引き受け、持ち株比率を8%から30%に大幅に引き上げるというものだと言う。

2-a. **議論する～質問の形で反対の意を表す→婉曲表現を使って質問に答える～**

　社長：ワールド産業が一気にダントツの筆頭株主になるとつぶやく。実質的にK&Sを支配することになり、長い間独立系の企業として地道な経営を続けてきたことを考えると、従業員や取引先も、抵抗感があるのではと懸念する。

　部長：買収提案が出てくる前に、防止戦略として安定株主を作っておいたほうがいいと婉曲に反論する。ワールド産業なら長年提携関係にあるので、業務の実態を変えずに資本構成を強化できると補足する。

2-b. **議論する～意見をサポートする→提案者が資料を使って質問に答える～**

　専務：グローバル化により、国内同業者だけではなく、全世界が競争相手になっている。また研究開発、設備投資、優秀な人材の確保、販売力の強化や原材料の安定確保などに、豊富な資金力と国際的な経営戦略は欠かせないが、自社単独では十分な力がないと部長の意見をサポートする。弱肉強食の戦いを勝ちぬかなければ、会社の存続も危ないという状況の中で現実的な選択だと補足する。

社長：客観的、一般的な状況はそのとおりで、自分も理解していると言う。だが、すべての会社が同じような道を行くことが本当にいいのか、規模は大きくなくても、軸足のしっかりした変わらぬ経営をすることも大事だと反対する。

専務：理念的にはそのとおりだが、経営手法としては、経営環境に応じた柔軟さが必要だと婉曲に反論する。

社長：経営手法と言って簡単に片付けられる問題ではないと反論する。自社が創業以来作り上げてきた財産でもある人材や技術力、企業文化が、ワールド産業の方針や経営状態など、その時々の都合で影響を受けることになる可能性がある。作り上げることは大変だが、失うのは一瞬だと強く主張する。

部長：そのことはよくわかっていると丁寧に述べる。手元の資料3ページにもあるが、ワールド産業が最近同業他社の株も買い進めていることを指摘する。もしワールド産業が自社を傘下に収めなければ、競合他社にターゲットを変えることになり、それは自社にとって別の意味で大変な脅威になると説明する。

社長：全面的に反対しているのではなく、何らかの対応は必要だと譲歩する。

3．次回の議論に持ち越す

専務：ワールド産業が一気に30％も自社の株を持つと、ほかへの影響も心配される。第一段階として15％程度の持ち株比率にして、しばらく様子を見たらどうかと提案する。

社長：そのぐらいなら、ほかの大株主もいるからワールド産業への牽制になるとつぶやく。

部長：ワールド産業の筆頭株主としての面子も立つと賛成する。

社長：会社の未来がかかる重要な問題だから、更に検討を加えることにしようと言い決定を保留する。

部長：返事をする。ワールド産業からの提案について、一応の賛同を得たと確認し、持ち株比率をどうするか更に検討を重ねると言って、了解を求める。

社長：了解してよろしく頼むと言う。

部長：返事をする。

<課題4　会話例>

🎧71
部長：では、今日の本題に入らせていただきます。昨今のグローバル化、自由化された資本市場においては、国内外の企業やファンドからの敵対的買収の危険に常にさらされています。そこで、先日、主力取引先のワールド産業から提案がありました。既にお配りしてあります資料のとおり、当社が増資し、同社がそれを引き受けて持ち株比率を8％から30％に大幅に引き上げるというものです。

🎧72
社長：一気にダントツの筆頭株主になるということですか……つまり当社を実質支配するということになるわけですね。長年、独立系として地道な経営を続けてきた当社としては、いささか抵抗感を覚えるというのが従業員や取引先の率直な感情かと思いますが……

部長：はい……ただ、買収提案が出てくる前に、防止戦略として信頼できる安定株主を作っておいたほうがいいのではないかと考えます。ワールド産業なら長年の提携関係もありますし、業務実態を変えることなく資本構成を強化することができますので。

🎧73
専務：それに、グローバル化によって、今や国内同業者のみならず、全世界が当社の競争相手となっています。研究開発、設備投資、優秀な人材の確保、販売力の強化や原材料の安定確保など、どれをとっても豊富な資金力と国際的な経営戦略が不可欠です。しかし残念ながら、当社単独ではそれに対応する十分な力はございません。この弱肉強食の戦いを何としても勝ちぬかないと、会社自体の存続が危ぶまれるという状況での現実的な選択かと思いますが……

社長：客観的、一般的な状況はそのとおりで、わたしも理解しているつもりです。しかし、皆が皆、そういった道を歩むことが果たして正解なんですかねえ……規模は大きくなくても、軸足がしっかりした変わらぬ経営という部分も大事ではないかと思うんですがね。

専務：そうですね……理念的にはそうですが、経営手法としては、経営環境に応じた柔軟さが求められるのではないでしょうか。

社長：いや、ちょっと待ってください。経営手法と言って片付けられる問題ではないでしょう。実際には、当社が創業以来培ってきた財産とも言うべき人材や技術力、そして企業文化が、ワールドの方針、経営状態などその時々の都合で何かと影響を受けることにもなりかねませんよ。築くのは大変ですが、失うのは一瞬なんです。

部長：ええ、そのことは重々承知しております。ただ、お手元の資料の3ページにもございますように、ワールドは最近、同業他社の株も買い進めております。もし同社が当社を傘下に収めなければ、競合他社にターゲットを変えるでしょう。そうなれば、当社にとって別の意味で大変な脅威になるわけですが……

社長：まあ、趣旨はわたしも全く反対ということではないし、何らかの対応は必要だと思ってますよ。

🎧74

専務：どうでしょう。一気に30％というと、ほかへの影響も懸念されますので、第一段階として15％前後の持ち株比率にして、しばらく様子を見るというのは……

社長：まあ、その程度ならほかの大株主もいることだし、ワールドへの牽制にもなるか……

部長：そうですね。ワールドの筆頭株主としての面子も立ちますね。

社長：まあ、当社の未来がかかる重要な問題だから、そのあたりのことは更に検討を加えるということにしましょうか。

部長：わかりました。では、方向性はご理解いただいたということで、持ち株比率をどの程度にするか、もう少し詰めてみたいと思いますが……よろしいでしょうか。

社長：そうだね。では、そういうことでよろしく頼みます。

部長：かしこまりました。

課題 5　評価する

以下の10項目について評価してみよう。
A：よい　B：もう少し努力が必要（その理由）

1. 提案者が案件を説明し、見解を述べる
    【部長】会議の本題を適切な表現で切り出しているか。接続詞を使ってわかりやすく案件を説明し、見解を述べているか。（　　　）

2-a. 議論する～質問の形で反対の意を表す→婉曲表現を使って質問に答える～
    【社長】適切な表現を使って懸念材料を取り上げ、難色を示しているか。（　　　）
    【部長】社長の懸念に対し、婉曲表現を使って反論しているか。
    　　　　　　　　　　　　　　　　　　　　　　　　　　　　（　　　）

2-b. 議論する～意見をサポートする→提案者が資料を使って質問に答える～
    【専務】提案の根拠を論理的に説明し、サポートしているか。（　　　）
    【社長】一度相手を受け入れてから、質問の形で反対しているか。（　　　）
    【部長】資料を使って、適切に反論しているか。（　　　）

3. 次回の議論に持ち越す
    【専務】提案の切り出し方、文末の表現は適切か。意向をうかがう言い方は適切か。
    　　　　　　　　　　　　　　　　　　　　　　　　　　　　（　　　）
    【社長】適切な表現を使って決定を保留しているか。文末は議論をまとめる言い方になっているか。（　　　）
    【部長】返事をしてから、適切な表現を使って話をまとめ、今後について述べているか。文末は相手の意向を確認する言い方になっているか。（　　　）

● 全体を通して
    【社長・専務・部長】流れはスムーズか。話に入っていくタイミング、あいづちや言いよどみの表現は適切か。（　　　）

第11課
プレゼンテーション

ビジネスプレゼンテーションで大切なのは、「限られた時間でいかに相手を説得し、動かすか」ということです。そのためには、データを使ってわかりやすくポイントを説明したり、アピールしたりする力が必要です。この課では接続詞の使い方や表・グラフの説明の仕方などを含め、プレゼンテーションに効果的な戦略と表現を学習します。

課題1　ロールプレイにチャレンジ

コンサルタント会社トゥマロー・コンサルタントのライアンさんは、ある化粧品会社に依頼された日焼け止め商品の拡販について、関係者にスライドを使って市場調査の結果報告と提案をする。

立場：ライアン（トゥマロー・コンサルタント社員・提案する人）　＜　三浦（化粧品会社商品企画部・提案される人）

---

1. 序論　〜本論を紹介する〜

1-a. あいさつ

　ライアン：社名と名前を言う。
　　　　　　先方に対する感謝の言葉を述べる。
　　　　　　調査結果の報告と提案に入ると開始の宣言をする。
　　　　　　所要時間はおよそ30分で、質問は発表終了後にしてほしいと言う。

1-b. 背景説明

　ライアン：日焼け止め商品の市場の現状について、手元の資料2ページのグラフ1を見るように言う。
　　　　　　グラフを説明し、その背景には紫外線の健康への悪影響の認識の広がりがあると言う。

グラフ1
〈市場全体〉日焼け止め商品と化粧品の売り上げ伸び率（前年比）

――　日焼け止め商品売り上げ伸び率（前年比）
----　化粧品売り上げ伸び率（同上）

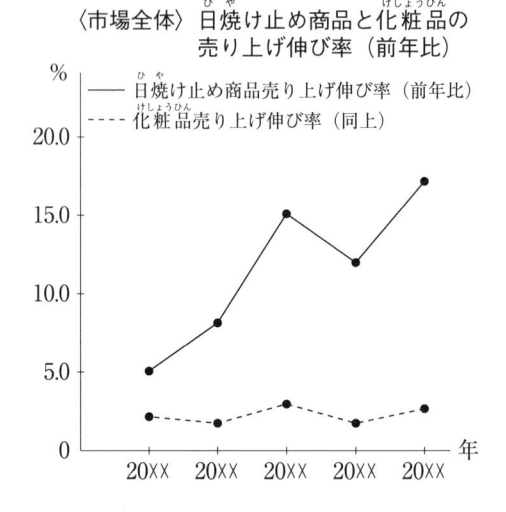

日焼け止め商品は、従来の女性・アウトドア・夏場が相場といった市場イメージから、より広い客層・用途・季節に拡大しているという認識を持つべきだと問題提起をする。

1-c. 提案

ライアン：シェア拡大のための提案をしたいと言う。

・ポイント1（目次(1)）を述べ、顧客のニーズをすぐに読んで、商品に反映させなければ、シェア拡大どころかシェア確保も難しく、ジリ貧になってしまうと、ポイント1を補強する。

・ポイント2（目次(2)）を述べ、日焼け止め商品のマーケットを単に成長が見込めるだけでなく、新たな市場の形成が期待できる分野だと考えていると言う。メーカーが新しいコンセプトの商品を市場に出していくことによって、拡大する需要に応えるだけでなく、潜在需要を掘り起こしていくことが重要だと、ポイント2を補強する。

・ポイント3（目次(3)）を述べ、これについては最後に話すと言う。

スライド

```
　　　　　目　次
(1) 多様なニーズを捕捉する商品ラインナップ
    の構築
(2) メーカー主導の積極的な商品開発
(3) 具体的な販売戦略
```

2. 本論 ～目次に沿って詳細に説明する～

ライアン：目次(1)を切り出す。
　　　　　目次(2)を切り出す。
　　　　　※目次(1)(2)については、切り出しの練習のみとし、具体的な内容の練習は扱わない。

グラフ2

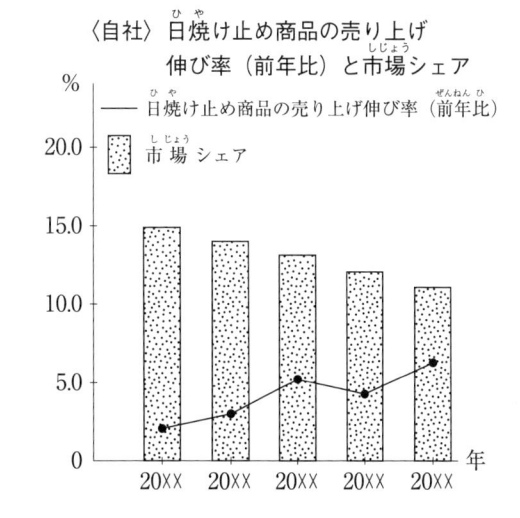

〈自社〉日焼け止め商品の売り上げ伸び率（前年比）と市場シェア

課題1：ロールプレイにチャレンジ

　　　　目次（3）を切り出す。
　　　　これまで5種類の日焼け止め商品を発売し、三浦の会社のネームバリューから、そこそこの売上げは確保していると前置きして、現状についてグラフ2を使って説明する。
　　　　その原因は、ニーズの多様化に応える商品が提供できていないこと、発売が散発的なため商品の統一感に乏しく、全体のイメージが弱いことだと説明する。
　　　　来春は幅広いニーズに対応した新商品をラインナップし、宣伝を強化して、市場シェアを一気に拡大するべきであると結論を導く。

3. 結論　〜本論を要約する〜
　　ライアン：可能性のある市場での競争を勝ちぬくためには、顧客の多様なニーズにいち早く対応した商品開発を自らの手によって行い、シェア拡大と同時に潜在需要を掘り起こしていくことが必要である。具体的な販売戦略として、まずは来年の春をめどに大々的に打って出るべきであると、本論の主張を簡潔にまとめて述べる。
　　　　　　検討を依頼する。

4. 質疑応答→終わりのあいさつ
　　ライアン：質疑応答に入ることを切り出す。
　　　三浦：発言の許可を求める。
　　ライアン：発言を促す。
　　　三浦：新たな市場形成のために、潜在需要を掘り起こすということだが、現在の市場シェアを伸ばすだけでは不十分なのか尋ねる。
　　ライアン：あいづちを打つ。紫外線対策が国民的関心事に広がる可能性があるから、よりよい効果や使い方、また画期的な商品の研究開発が一層必要であると述べる。
　　　三浦：納得する。
　　ライアン：ほかに質問がないことを確認して、終わりのあいさつをする。

課題2 戦略会話に沿ってスムーズに話す

戦略会話1 序論 ～本論を紹介する～

戦略会話1-a あいさつ

立場：A（提案する人） 🎧75

A1：（ 社名（部署） ）の（ 名前 ）でございます。
　　＿＿＿＿＿＿＿＿①＿＿＿＿＿＿＿＿。→感謝の言葉を述べる
　　では、＿＿＿＿＿＿②＿＿＿＿＿＿。→開始の宣言をする
　　時間はおよそ（ 所要時間 ）分です。
　　＿＿＿＿＿＿③＿＿＿＿＿＿よろしくお願いします。→質問の時間について説明する

下の表現を使って戦略会話を完成させなさい。

---
①御社にはいつも大変お世話になり、ありがとうございます／
　今日は、お忙しいところお集まりいただきありがとうございます／
　今日は、お時間をいただきありがとうございます
②早速調査結果のご報告とご提案に入らせていただきます／
　これより（ テーマ ）についてご説明させていただきます／
　早速ですが、（ テーマ ）についてお話ししたいと思います
③ご質問のほうは発表終了後ということで／
　ご質問がございましたら、発表後にお受けしたいと思いますので／
　ご質問があれば、発表の後にお受けしますので

第11課

課題2：戦略会話に沿ってスムーズに話す　157

戦略会話 1-a ［補足］　資料を訂正する

> 立場：A（提案する人）

A1：大変申し訳ありませんが、資料に（　　　　　）箇所、誤りがございますので、恐れ入りますが、訂正をお願いいたします。

　　まず、○ページの上から○行目、「　　　　」とありますが、削除をお願いします。

　　次に、○ページの下から○行目、「　　　　」とありますが、「　　　　」と訂正をお願いします。

　　それから、○ページの中ほどに「　　　　」とありますが、その前に「　　　　」と入れていただけますでしょうか。

　　そして、○ページの表に「　　　　」とありますが、その後に「　　　　」と追加をお願いします。……よろしいでしょうか。

　　（聞き手の訂正が終わったのを確認して）ありがとうございます。

　　では、始めさせていただきます。

<応用練習>

適切な表現を使いながら、自分の場面で戦略会話 1-a、1-a［補足］を続けて作りなさい。

戦略会話1-b　背景説明

立場：A（提案する人）　🎧76

A2：まず_____①_____の現状ですが、_____②_____をご覧ください。→資料を見るよう促す

これは、_____③_____です。

こちらからおわかりのように、_____④_____。→グラフを説明する

これは、_____⑤_____こと_____⑥_____。→背景を説明する

_____⑦_____、_____⑧_____と思います。

→問題提起をする

下の表現を使って戦略会話を完成させなさい。

---

①日焼け止め商品の市場／日本の携帯電話市場／御社の製品別売り上げ構成

②お手元の資料2ページのグラフ1／こちらのスライド／お配りしてある別紙1の表

③日焼け止め商品と化粧品の売り上げ伸び率を表したもの／
　御社を含めた大手3社の年齢別シェアについてまとめたもの／
　過去5年間の推移を示したもの

④化粧品全体の伸びが低迷している中、日焼け止め商品は高い伸び率を示しています／
　御社の中高年層のシェアは高いものの、若年層では苦戦を強いられています／
　フィルムカメラがデジカメにとって代わられ、御社の社名に使われているフィルムの売り上げは低迷しています

⑤紫外線の健康への悪影響が広く認知されるようになった／
　競合他社が若者をターゲットにしたデザインの携帯電話を次々に売り出している／
　世界の趨勢からもやむを得ないことであり、将来的にデジタル化はさらに加速する

⑥によるものと思われます／が背景にあると見られます／が考えられます

⑦こうしたことから／ですから／したがいまして

⑧「日焼け止め商品は女性・アウトドア・夏場が相場」といった従来の市場イメージではなく、より広い客層、用途、季節に拡大しているのだという認識で臨む必要がある／
　全体的なシェアを広げるためには、若年層をいかに取り込んでいくかがかぎとなる／
　対外的にも社内的にも新しい御社を印象づける思い切った策をとることが急務である

第11課

課題2：戦略会話に沿ってスムーズに話す

<練習1> グラフ説明の表現

1) 下のグラフa～cについて、☐の中の言葉を用い、例のようにそれぞれ説明しなさい。

例) b：一時期、激しい落ち込みが見られましたが、その後顕著な伸びを示しています。

① a：

② b：

③ c：

2) 下のグラフd～fのうち、二つを比較しながら、現状について☐の中の言葉を用い、例のように説明しなさい。

例) dと比べてfについて言いたいとき：dの低迷とともに、fにも低下が見られます。

① dと比べてeについて言いたいとき：

② eと比べてfについて心配だと言いたいとき：

③ fと比べてeについて言いたいとき：

増加　増大　上昇　伸び　拡大　回復　（増えている、伸びている）
下降　減少　縮小　落ち込み　低下　（減っている、下がっている）
急激　急速　顕著　著しい　飛躍的　順調　堅調　緩やか　徐々に　わずか　若干
兆し　V字回復　ピーク　頭打ち　伸び悩み　横ばい　下げ止まり　低迷
　　　　　　　　　　　　　　　　　　　　　　　　　　　　（増減の程度・様子）
見られる　見せる　示す　ある　続く　推移する　（動詞）
一時期　その後　このところ　ここ数年　境に　（時期）

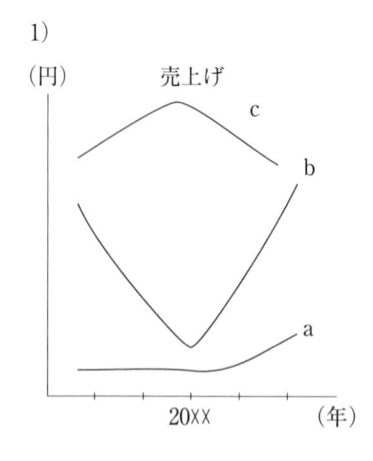

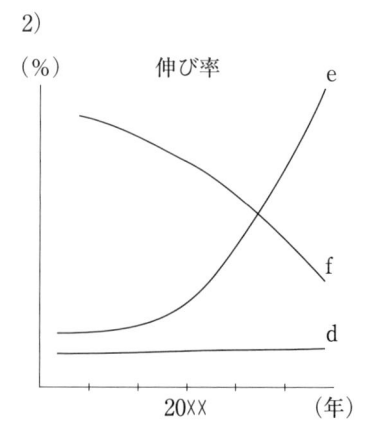

---

1) （円）売上げ

2) （％）伸び率

第11課：プレゼンテーション

> ● **ここがポイント！　～グラフ表現のいろいろ～**
>
> 新聞やニュース、また実際のプレゼンテーションではグラフの変化を説明するとき「増えて／伸びています」「減っています」だけでなく、「上昇傾向にあります」「落ち込みを見せています」などの表現が使われる。同じ言葉の繰り返しにならないように、いろいろな言い方を身につけて表現力を伸ばそう。
>
> 【解答例】
> 1）①低迷が続いていましたが、このところ回復の兆しが見られます。
> 　　②20ＸＸ年を境に順調な伸びを見せ、Ｖ字回復を果たしています。
> 　　③堅調に推移していましたが、20ＸＸ年をピークに減少傾向にあります。
> 2）①dが低迷する中、eは急激な伸びを示しています。
> 　　②eの伸びが顕著な一方で、fの急速な落ち込みが気になります。
> 　　③fが著しい低下を見せているのに対し、eは飛躍的に上昇しています。

<練習２>　プレゼンや会議で使われる表現

次の文の下線部をほかの言い方に変えなさい。

1）社会の安定化のためには格差の是正が<u>ぜひとも必要です</u>。
　→社会の安定化のためには格差の是正が（　　　　　）です。

2）一刻も早く手を打たないと、<u>大変な事態になるかもしれません</u>。
　→一刻も早く手を打たないと、大変な事態（　　　　　）。

3）少子高齢化問題の解決は、<u>政府の強いリーダーシップが絶対に必要です</u>。
　→少子高齢化問題の解決は、政府の強いリーダーシップ（　　　　　）。

4）このままでは、アジアの市場から取り残されてしまう<u>心配があると思います</u>。
　→このままでは、アジアの市場から取り残されてしまう（　　　　　）。

> ● **ここがポイント！　～同じようなパターンの文型表現は繰り返さない～**
>
> 「と思います」「必要です」「かもしれません」などのような文末表現を何度も使うと、相手を飽きさせ、稚拙な印象を与える可能性がある。いろいろな文末表現を覚え、実際に使ってみよう。
>
> 【解答例】1）不可欠　2）を招きかねません
> 　　　　　3）を抜きには考えられません　4）ことが懸念されます

<応用練習>

自分の場面でグラフを作成し、適切な表現を使いながら戦略会話1-bを作りなさい。

戦略会話 1-c　提案

立場：A（提案する人）　🎧77

A3：そこで、_____①_____は次のポイントで_____②_____をご提案したいと思います。

　　　まず、_____③_____です。_____④_____。
→ポイント1を挙げ、補足する

　　　次に、_____⑤_____です。_____⑥_____。
→ポイント2を挙げ、補足する

　　　それから、_____⑦_____です。_____⑧_____。
→ポイント3を挙げ、補足する

下の表現を使って戦略会話を完成させなさい。

①私ども／私たち／我々

②シェア拡大を図っていくこと／若年層の顧客にアピールすること／
御社の実情に合わせた新しい社名に変更すること

③多様なニーズを捕捉する商品ラインナップの構築／若手人気デザイナーの起用／
期待できる対外的効果

④顧客のニーズをいち早く読んで、商品に反映させる。そうしなければこの厳しい競争の中、シェア拡大どころかシェア確保も難しく、ジリ貧になってしまう恐れすらあります／
斬新かつ個性的なデザインを打ち出すことによって、若者の注目を集めることが先決です／
社名は御社の顔であり、最大の宣伝媒体ですから、御社のコアビジネスを市場に向けて明確に打ち出す効果があります

⑤メーカー主導の積極的な商品開発／デザインの多様化／期待できる社内的効果

⑥私どもはこの日焼け止め商品のマーケットを単に成長が見込めるだけでなく、新たな市場の形成が期待できる分野だと考えています。新しいコンセプトの商品を市場に出していくことによって、拡大する需要に応えるだけでなく、潜在需要を掘り起こしていくことが重要であると考えます／
オリジナリティを求める最近の若者の傾向に合わせた、バラエティ豊かな商品を取り揃える必要があります／

> 本業が明確になることによって、御社の製品に対する社員のマインドアップにつながるということです
> ⑦そのための具体的な販売戦略／広告宣伝を含めたトータルイメージ戦略／おおよそのスケジュール
> ⑧これについては最後にお話ししたいと思います／
> 有名スポーツ選手や人気俳優を使ったテレビＣＭやイベントを積極的に展開するといったことです／
> 社内決定から実施まで、事務的な対応も含め、１年を見込んでおります

<練習> 「そこで」の使い方

(　　　　　)に入る適切な文を考えなさい。

1) うちの課には今回の企画を進められそうな人がおりません。そこで、(　　　　　)。
2) 二酸化炭素の削減については皆様関心をお持ちだと思います。そこで、(　　　　　)。
3) 累積赤字が深刻化しています。そこで、(　　　　　)。

> **！ ここがポイント！　〜「そこで」を上手に使おう〜**
>
> 「そこで」は、ビジネスの場では、改まって何かを提案したり、問題提起の後、提案したいとき効果的に使われる。
>
> 【解答例】
> 1) 優秀な人を新たに採用してはいかがかと思いますが
> 2) 今回のセミナーでは、専門家の方から直接お話を伺う機会を設けました
> 3) 価格政策を見直すことにしました

<応用練習>

適切な表現を使いながら、自分の場面で戦略会話 1-c を作りなさい。

戦略会話2　本論　～目次に沿って詳細に説明する～

立場：A（提案する人）　🎧78

A4：それでは早速、＿＿＿＿＿①＿＿＿＿＿についてご説明いたします。

　　　　　　　　×　　×　　×

　　では、次に＿＿＿＿＿②＿＿＿＿＿について話を進めてまいりたいと思います。

　　　　　　　　×　　×　　×

　　それでは、最後に＿＿＿＿＿③＿＿＿＿＿についてお話ししたいと思います。

　　※ここでは、切り出しの練習のみとし、具体的な内容の練習は扱わない。

戦略会話1-cのポイントを使って戦略会話を完成させなさい。

---
①(1)の商品ラインナップの構築／若手人気デザイナーの起用／
　　期待できる対外的効果
②(2)のメーカー主導による積極的な商品開発／デザインの多様化／
　　期待できる社内的効果
③具体的な販売戦略／広告宣伝を含めたトータルイメージ戦略／
　　おおよそのスケジュール

<応用練習>

適切な表現を使いながら、自分の場面で戦略会話2を作りなさい。

戦略会話3　結論　～本論を要約する～

立場：A（提案する人） 🎧80

A5：以上、お話ししてまいりましたが、＿＿＿＿＿①＿＿＿＿＿ということを
　　＿＿＿＿②＿＿＿＿申し上げたいと思います。→要点をアピールする
　　＿＿＿＿③＿＿＿＿。→検討を依頼する

下の表現を使って戦略会話を完成させなさい。

---
①この可能性ある市場での競争を勝ちぬくためには、顧客の多様なニーズにいち早く対応した商品開発を御社自らの手によって行い、シェア拡大と同時に潜在需要を掘り起こしていくことが急務と思われます。具体的な販売戦略として、まずは来年の春をめどに、大々的に打って出る／
私どものご提案は必ずや御社の若年層のシェアアップに貢献できるものである／
社名変更をご決断いただければ、長期的な企業イメージの向上が実現できる
②今一度／再度／重ねて
③ぜひともご検討をお願い申し上げます／
ぜひ私どもの企画を採用していただきたくお願い申し上げます／
ご検討、どうかよろしくお願いいたします

＜応用練習＞

適切な表現を使いながら、自分の場面で戦略会話3を作りなさい。

戦略会話4　質疑応答→終わりのあいさつ

立場：A（提案する人）　＜　B（提案される人）

A6：それでは、＿＿＿＿＿①＿＿＿＿＿。
　　　ご質問、ご指摘等ございましたら、＿＿＿＿＿②＿＿＿＿＿。
B1：よろしいでしょうか。
A7：どうぞ。
B2：＿＿＿＿③＿＿＿＿ということでしたが、＿＿＿＿＿④＿＿＿＿＿。
　　　→相手の質問を引用して、質問の形で確認・指摘・反論する
A8：＿＿＿＿⑤＿＿＿＿。→返事をして回答する
B3：（　承知する　）。
A9：ほかに何かございますか……＿＿＿＿⑥＿＿＿＿。ありがとうございました。

下の表現を使って戦略会話を完成させなさい。

①質疑応答に移らせていただきます／ご質問をお受けしたいと思います／
　質問にお答えしたいと思います
②お願いいたします／挙手をお願いします／どうぞ
③新たな市場形成のために、潜在需要を掘り起こす／
　シェアアップにつながる／社名は企業の顔
④現在の市場でのシェアを伸ばすという考え方では不十分ということでしょうか／
　すぐに効果が表れるという理解でよろしいでしょうか／
　新社名の浸透と時系列的な売り上げをリンクさせた予測資料のようなものはございますか
⑤そうですね。これからは日焼け止めを含め、紫外線対策そのものが国民的関心事に広がることが予想されます。したがって、よりよい効果や使い方、また画期的商品の研究開発が一層求められると思われます／
　そうですね、着実に実行しさえすれば早い段階で実現可能であると考えます／
　申し訳ございません。細かい数字になりますので、この後個別にご説明させていただくということでよろしいでしょうか
⑥なければ、以上で終わらせていただきたいと思います／
　ないようでしたら、以上をもちまして終わりにさせていただきます／
　よろしければ、これで終了させていただきます

<練習1> 質問の答え方①

下線部を適切な言い方に変えなさい。

1) a：我々は自力再建を目指すという理解でおりましたが、ただいまのお話でははじめから売却ありきという印象を受けましたが……

   b：<u>いえ、そうではなく、</u>あくまでも売却は選択肢の一つということです。

2) a：投資ファンドの資金受け入れを考えるよりも、まず生産拠点の統廃合や経営陣の刷新などのリストラを行うべきではないでしょうか。

   b：<u>私はそうは思いません。</u>こういうことは相手あってのことですから、タイミングが何より大切ではないかと考えます。

3) a：買収防衛策導入は結果として株安を招くという見方もありますが……

   b：<u>それは違うと思います。</u>導入にあたっては御社の場合、株主の判断を仰ぐわけですから、意思決定の透明性の向上につながり、市場の評価は上がると思います。

> **❗ ここがポイント！**
>
> 反対意見であっても、否定的な言い方はビジネスではマイナスである。
> 相手の言っていることを必ず受け入れてから自分の見解を述べよう。
>
> 【解答例】
> 1) 私の言葉が足りず（説明が不十分で）、申し訳ございません。
> 2) そういう見方もあるかと（確かにそれも一理あると）思います。ただ、
> 3) そのような部分もあると思います。しかし、一方で、

第11課

課題2：戦略会話に沿ってスムーズに話す

<練習2> 質問の答え方②

適切なほうを選びなさい。また、その違いについて考えなさい。

1)［会議で］
　　a：私のほうからは以上ですが、何かご質問はありますか。
　　b：いえ、（　特に・別に　）ありません。

2)　a：顔色が悪いけど、どうかした？
　　b：いえ、（　特に・別に　）何でもありません。大丈夫です。

3)　a：御社の製品の欠陥が原因で死者が出たわけですが、今後の補償問題はどのように。
　　b：まだ、（　特に・別に　）これといったものがあるわけではないのですが……今後誠意をもって対応していきたいと考えております。

> **❗ ここがポイント！〜「特に」と「別に」の使い方〜**
>
> 「特に…ない」：「特別に挙げるべき…はない」という意味を表す。「完全に…がない」と否定せず、少し含みを持たせた言い方である。1)・3)
>
> 「別に…ない」：「ほかに…はない」という意味合いから、「完全に…がない」と否定しているような印象を与える。2)
>
> そのため、「別に」を1)や3)のような場面で使うと、意見や考えが全くないように受け取られ、参画意識や当事者意識が薄い印象になってしまうので注意しよう。
>
> 【解答】1)特に　2)別に　3)特に

<応用練習>

相手に配慮しながら、自分の場面で戦略会話4を作りなさい。

課題3　戦略会話1〜4を通して話す

🎧75
ライアン：トゥマロー・コンサルタントのライアンでございます。御社にはいつも大変お世話になり、ありがとうございます。では、早速調査結果のご報告とご提案に入らせていただきます。時間はおよそ30分です。ご質問のほうは発表終了後ということでよろしくお願いします。

🎧76
ライアン：まず日焼け止め商品の市場の現状ですが、お手元の資料2ページのグラフ1をご覧ください。これは、日焼け止め商品と化粧品の売り上げ伸び率を表したものです。こちらからおわかりのように、化粧品全体の伸びが低迷している中、日焼け止め商品は高い伸び率を示しています。これは、紫外線の健康への悪影響が広く認知されるようになったことによるものと思われます。こうしたことから、「日焼け止め商品は女性・アウトドア・夏場が相場」といった従来の市場イメージではなくより広い客層、用途、季節に拡大しているのだという認識で臨む必要があると思います。

🎧77
ライアン：そこで、私どもは次のポイントでシェア拡大を図っていくことをご提案したいと思います。まず、多様なニーズを捕捉する商品ラインナップの構築です。顧客のニーズをいち早く読んで、商品に反映させる。そうしなければこの厳しい競争の中、シェア拡大どころかシェア確保も難しく、ジリ貧になってしまう恐れすらあります。次に、メーカー主導の積極的な商品開発です。私どもはこの日焼け止め商品のマーケットを単に成長が見込めるだけでなく、新たな市場の形成が期待できる分野だと考えています。新しいコンセプトの商品を市場に出していくことによって、拡大する需要に応えるだけでなく、潜在需要を掘り起こしていくことが重要であると考えます。それから、そのための具体的な販売戦略です。これについては最後にお話ししたいと思います。

🎧78
ライアン：それでは早速、(1)の商品ラインナップの構築についてご説明いたします。

　　　　　　　　　　×　　　　　×　　　　　×

ライアン：では、次に(2)のメーカー主導による積極的な商品開発について話を進めてまいりたいと思います。

×　　　×　　　×

ライアン：それでは、最後に具体的な販売戦略についてお話ししたいと思います。御社では今まで、5種類の日焼け止めを発売してきました。御社のネームバリューからそこそこの売り上げは確保しているものの、グラフ2のように、市場の拡大に比べて売り上げの伸びは思わしくなく、シェアは低下しています。その原因として、多様化するニーズに応える十分な商品が提供できていないこと、また、今まで散発的に発売してきたので、商品の統一感に乏しく、全体としてのイメージが弱いことが考えられます。従いまして、来春には幅広いニーズに対応した新商品をラインナップし、宣伝を強化して市場シェアを一気に拡大すべきと考えます。

ライアン：以上、お話ししてまいりましたが、この可能性ある市場での競争を勝ちぬくためには、顧客の多様なニーズにいち早く対応した商品開発を御社自らの手によって行い、シェア拡大と同時に潜在需要を掘り起こしていくことが急務と思われます。具体的な販売戦略として、まずは来年の春をめどに、大々的に打って出るということを今一度申し上げたいと思います。ぜひともご検討をお願い申し上げます。

ライアン：それでは、質疑応答に移らせていただきます。ご質問、ご指摘等ございましたら、お願いいたします。
三浦：よろしいでしょうか。
ライアン：どうぞ。
三浦：新たな市場形成のために、潜在需要を掘り起こすということでしたが、現在の市場でのシェアを伸ばすという考え方では不十分ということでしょうか。
ライアン：そうですね。これからは日焼け止めを含め、紫外線対策そのものが国民的関心事に広がることが予想されます。従って、よりよい効果や使い方、また画期的商品の研究開発が一層求められると思われます。
三浦：そうですか。わかりました。
ライアン：ほかに何かございますか……なければ、以上で終わらせていただきたいと思います。ありがとうございました。

<応用練習>　自分の場面で戦略会話1〜4を通して話しなさい。

課題 4　実戦会話　以下の流れに沿って会話する

ある証券会社の本社営業推進部のワンさんは、支店の営業担当者を訪ね、来期の経営計画を踏まえた今後の営業戦略について提言する。

立場：石川（横浜支店営業課・提案される人）　＜　ワン（本社営業推進部・提案する人）

1. 序論　～本論を紹介する～

1-a. あいさつ

ワン：部署と名前を言い、感謝の言葉を述べる。
　　　来期の経営計画を踏まえた今後の営業戦略について話をすると開始の宣言をする。
　　　所要時間はおよそ20分で、質問は発表終了後にしてほしいと言う。

1-b. 背景説明

ワン：当然のことだがと前置きし、お金を安全に蓄え、着実に増やしていくことは人生設計の中でとても大切なことだと言う。
　　　ここにお金と貯蓄に関する資料があると前置きし、これを見ながら資産運用の現状について説明したいと言う。
　　　手元の資料1を見るように言う。資料1を説明し、その原因を分析する。

　　　原因1．年金がきちんと給付されるのかという不安。
　　　原因2．昨今では不安定な雇用形態が増えたり、リストラもめずらしくない。
　　　原因3．グローバルな競争社会の中では、給料も構造的に上がりにくい。
　　　原因4．少子化に加えて、昔と違い、子供が親の老後の面倒を見ることが期待できない。

　　　これらのことから、多くの人にとって資産運用をどうするかということは大きな関心事であると問題提起をする。

資料1「将来の生活に経済的不安を感じているか」

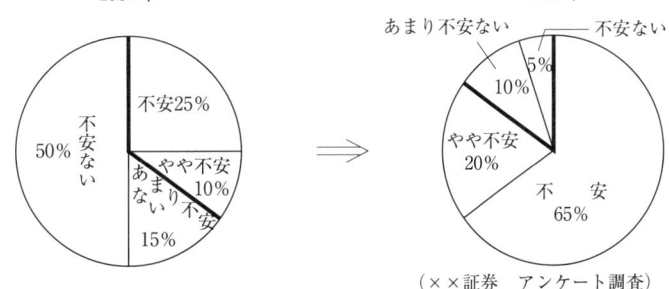

198X年
不安 25%
不安ない 50%
やや不安 10%
あまり不安ない 15%

⇒

20XX年
不安ない 5%
あまり不安ない 10%
やや不安 20%
不安 65%

（××証券　アンケート調査）

資料2を見るように言う。日本は欧米諸国と比べ、預貯金の比率が高く、安全志向が強いとよく言われてきたと前置きし、グラフからもそのことが言えなくもないと説明する。昔は預貯金がほとんどを占めていたことを考えれば、その傾向は変わりつつあると言う。

資料2「日本と欧米諸国の家計の金融資産構成比較」20XX年

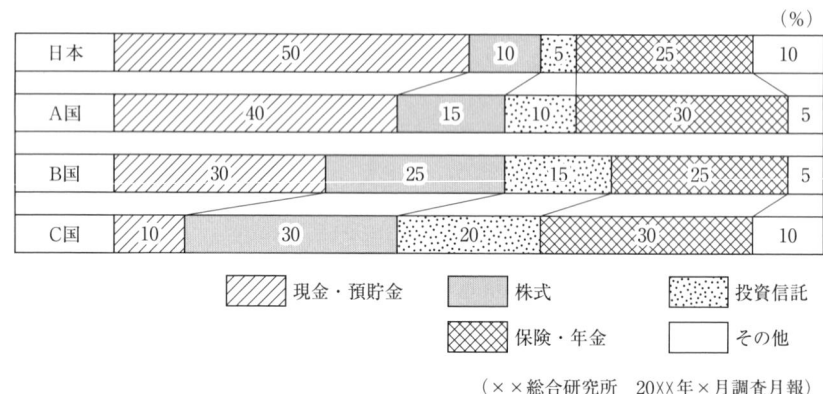

	現金・預貯金	株式	投資信託	保険・年金	その他
日本	50	10	5	25	10
A国	40	15	10	30	5
B国	30	25	15	25	5
C国	10	30	20	30	10

(××総合研究所　20XX年×月調査月報)

いずれにしても、グローバル化・自己責任の時代ではリスクとリターンのバランスを考えながら、幅広い運用を行っていくことが現実問題として、もはや避けられないと主張する。運用といっても、専門知識のない一般の人が、いろいろなものに安易に手を出すのは危険であると言う。

1-c. 提案

ワン：投資信託を積極的に活用してほしいと提案する。投信は事前に決められた投資対象や方針に基づいてプロが運用するので、一般投資家には利用価値がある商品だと説明する。金額も小口化され、定期定額を購入できるものもあり、換金性も確保されていると具体的に述べる。

目次を紹介する。目次（1）を述べて、知識を深め、今後の営業活動に役立ててもらいたいと補足する。目次（2）（3）の順で話をすると言う。

スライド

```
目　次
(1) 現在当社で扱っている投信
(2) 来期の目標
(3) 来期の営業戦略
```

2．本論　～目次に沿って詳細に説明する～

ワン：目次（1）を切り出す。　目次（2）を切り出す。

※目次（1）（2）については、切り出しの練習のみとし、具体的な内容の練習は扱わない。

目次（3）を切り出す。

実際のセールスで肝に銘じてほしいのは「情報第一」である。具体的には、見込み客の情報収集と、情報を有効活用できるように常にアップデートしておくことが決め手となる。

それは言い換えれば、お客様の所得や資産、家族の状況やライフスタイル、運用意向などを情報化し、それに応じた適切で具体的な提言がものを言う、ということだと説明する。

販売後のフォローアップはおろそかになる傾向があるが、取引の展開にはとても大切なことなので、周知徹底してほしいと強調する。

3．結論　～本論を要約する～

ワン：営業基盤強化のためには、担当者一人一人が投信の商品知識を深め、お客様のニーズに応じた商品提供をすることだと言う。そして、店としてのきめ細かい継続的なサービス活動が不可欠であると強調する。

このことをぜひ理解して、明日からの営業活動に生かしてほしいと結びの言葉を述べる。

4．質疑応答→終わりのあいさつ

ワン：自分の話は終わりだが、質問があるか尋ねる。

石川：発言の許可を求める。

ワン：発言を促す。

石川：投信はこれまでもかなり力を入れて勧誘してきたので、これ以上は厳しいと婉曲に言う。

ワン：先ほどの資料2からもわかるように、投信はまだまだ伸びる余地があると答える。

社会人の若年層は財産形成がこれからなので、潜在ニーズを掘り起こせると補足する。

石川：納得する。

ワン：返す。ほかに質問がないことを確認して、終わりのあいさつをする。

<課題4　会話例>

🎧82
ワン：営業推進部のワンです。今日は、お忙しいところありがとうございます。早速ですが、来期の経営計画を踏まえた今後の営業戦略についてお話ししたいと思います。時間は約20分を予定しています。質問はその後ということでよろしくお願いします。

🎧83
ワン：まあ、言うまでもありませんが、お金を安全に蓄え、着実に増やしていくことは、人生設計においてとても大切なことです。ここにお金と貯蓄に関する資料がありますので、まずこれを見ながら資産運用の現状についてご説明したいと思います。お手元の資料1を見ていただけますか。これは、将来の生活における経済的不安についての意識調査の結果をまとめたものです。以前に比べ、不安を抱く人が増えています。その原因は様々だと思われますが、まず、年金がきちんと給付されるのかという不安が挙げられます。また、昨今では不安定な雇用形態が増えたり、リストラもめずらしくありません。それから、グローバルな競争社会にあっては、給料も構造的にそれほど上がらないでしょう。少子化に加えて、昔と違い、子供が親の老後の面倒を見ることが期待できなくなっていることもあると思います。こうしたことから、今や多くの人にとって資産運用をどうするかということは大変大きな関心事であるわけです。では次に、資料2をご覧ください。これは、日本と欧米諸国の家計の金融資産構成を比較したものです。日本は欧米諸国と比べ預貯金の比率が高く、安全志向が強いとよく言われてきました。このグラフからもそう言えなくもありませんが……昔は預貯金がほとんどを占めていたことを考えれば、その傾向は変わりつつあります。いずれにしても、グローバル化・自己責任と言われる時代にあっては、リスクとリターンのバランスを考えながら、より幅広い運用を行っていくこと、これは現実問題として、もはや避けられないのです。もっとも運用といっても、専門知識のない一般の人が、いろいろなものに安易に手を出すのは危険です。

🎧84
ワン：そこで、投資信託をより積極的に活用していただきたいと思います。投信は、あらかじめ決められた投資対象や方針に基づいてプロが運用するものですから、一般投資家の方には利用価値がある商品です。金額も小口化され、定期定額を購入できるものもありますし、換金性も確保されています。今日はまず、現在当社で扱っている様々な投信の商品説明をいたします。これによって、

知識を深め、今後の営業活動に役立てていただきたいと思います。次に、来期の目標について、それから営業戦略の順でお話ししてまいります。

🎧85

ワン：では早速、当社で現在扱っている投信についてご説明したいと思います。

　　　　　　　×　　　　　×　　　　　×

ワン：次に来期の目標について話を進めてまいりたいと思います。

　　　　　　　×　　　　　×　　　　　×

ワン：それでは、最後に来期の営業戦略についてお話ししたいと思います。実際のセールスにあたって肝に銘じていただきたいのは「情報第一」ということです。まずは、見込み客の情報収集、そして、それを有効活用できるように常にアップデートしておくことが決め手となります。つまり、お客様の所得や資産、家族の状況やライフスタイル、運用意向などを情報化し、それに応じた適切かつ具体的な提言がものを言うわけです。また、とかく販売後のフォローアップがおろそかになりがちですが、取引の展開にはとても大切なことです。皆さんにはこの点、周知徹底していただきたいと思います。

🎧86

ワン：このように、営業基盤強化には担当者一人一人が投信の商品知識を深め、お客様のニーズに応じた商品提供をしていくこと、また、店としてのきめ細かい継続的なサービス活動が不可欠であるということを繰り返し申し上げたいと思います。ぜひご理解いただいて、明日からの営業活動に生かしてください。

🎧87

ワン：私のほうからは以上ですが、ご質問等ありましたらお願いします。

石川：よろしいでしょうか。

ワン：どうぞ。

石川：投信については、今までもかなり力を入れて勧誘してきましたので、更に、というのはちょっと厳しいように思うんですが……

ワン：まあ、先ほどの資料２にもありましたように、投信はまだまだ伸びる余地があるということが読み取れると思います。それに、社会人の若年層は財産形成がこれからですので、潜在ニーズをもっと掘り起こせると思いますよ。

石川：わかりました。

ワン：よろしくお願いします。ほかに何かありますか……なければこれで終わりたいと思います。お疲れさまでした。

課題5 評価する

以下の10項目について評価してみよう。
A：よい　B：もう少し努力が必要（その理由）

1. 序論　〜本論を紹介する〜
    【ワン】適切な表現で進行について説明しているか。　　　　　　　　（　　　）
    　　　　グラフの説明は適切か。　　　　　　　　　　　　　　　　　（　　　）
    　　　　適切な表現で現状説明をわかりやすく述べているか。　　　　（　　　）
    　　　　接続詞を上手に使いながら問題提起を強調しているか。　　　（　　　）

2. 本論　〜目次に沿って詳細に説明する〜
    【ワン】切り出しの言い方は適切か。　　　　　　　　　　　　　　　（　　　）

3. 結論　〜本論を要約する〜
    【ワン】適切な表現で、簡潔にまとめているか。　　　　　　　　　　（　　　）
    　　　　結びの言葉は適切か。　　　　　　　　　　　　　　　　　　（　　　）

4. 質疑応答→終わりのあいさつ
    【石川】簡潔にわかりやすく質問しているか。　　　　　　　　　　　（　　　）
    【ワン】適切な表現で質問に答えているか。　　　　　　　　　　　　（　　　）

● 全体を通して
    【ワン】アピールできているか。　　　　　　　　　　　　　　　　　（　　　）

機能表現

機能	状況・場面	表現	課	会話番号
あ				
あいさつ	電話－名乗る	はい、（ 自社名 ）でございます。	1	A1
	電話－初めて電話する	初めてお電話｛いたします／させていただきます｝。	1	B1
	電話－紹介を受けて電話する	このたび、（ 紹介者の社名 ）の（ 紹介者の名前 ）様から（ 相手の名前 ）様をご紹介いただきまして、お電話｛いたしました／させていただきました｝。	1	B2
	面会－はじめのあいさつ	今日は、お忙しいところお時間を｛とって／割いて／作って｝｛いただき／いただきまして｝ありがとうございます。	3	B1
	面会－はじめのあいさつ	今日は、お忙しいところ｛お邪魔させていただきまして／お時間をいただき／お時間をちょうだいいたしまして｝申し訳ございません。	8	A1
	面会－はじめのあいさつ	今日は、お忙しいところお時間を｛いただきまして／ちょうだいいたしまして｝ありがとうございます。	9	B1
	面会－来訪者へのはじめのあいさつ	わざわざ｛来て＜おいで／お越し／ご足労｝｛いただき／いただきまして｝｛ありがとうございます／恐縮です｝。	3 8	A2 B1
	面会－来訪者へのはじめのあいさつ	お待ちしていました。	6	B7

機能	状況・場面	表現	課	会話番号
あいさつ	面会-終わりのあいさつ	今日は、お忙しいところお時間を｛いただきまして／ちょうだいいたしまして｝ありがとうございました。	9	B11
	面会-来訪者への終わりのあいさつ	今日は、｛お忙しい中お越しいただき／ご丁寧に／わざわざ｝ありがとうございました。	8	B8
	電話／面会-遅れたときのあいさつ	どうも｛お待たせしました＜お待たせしてすみません＜お待たせして申し訳ございません｝。	5 9	C5 A1
	電話／面会-終わりのあいさつ	～を｛期待／お待ち｝しています。	1 3	A10 A10
	電話／面会-今後のつきあいを踏まえたあいさつ	～ので、｛ご要望などございましたら、どうぞご遠慮なくお申しつけください／何かございましたら、何なりとご指摘ください｝。	8	A8
	電話／面会-今後のつきあいを踏まえたあいさつ	｛今後とも／また何かありましたら／またどうぞ｝よろしくお願いいたします。	9	B12
	プレゼン-あいさつ	｛御社にはいつも大変お世話になり／今日は、お忙しいところお集まりいただき／今日は、お時間をいただき｝ありがとうございます。	11	A1
あいづち	同意する	おっしゃるとおりですね。／確かに。／なるほど。	9	B5 B6 B7 B8

機能	状況・場面	表現	課	会話番号
い				
意向を聞く	電話ー今話してよいか聞く	今、｛よろしいでしょうか＜お時間よろしいでしょうか／お話ししてもよろしいでしょうか＜お話しさせていただいてもよろしいでしょうか｝。	1 5	B2 C5
	面会の日時について聞く	ご都合は｛いつがよろしいでしょうか／いかがでしょうか｝。＜ご都合のよろしい｛お日にち／お時間｝をお聞かせ願えますでしょうか。	1	B5
	日にち・曜日・時間について聞く	（　日にち・曜日・時間　）は｛どう＜いかが｝ですか。	1	A6
	指示を仰ぐ	｛〜とき／〜場合／〜際／〜について｝は｛どのように……／どうしましょう（か）。＜どうすればよろしいでしょう（か）。＜いかがいたしましょう（か）。｝	2	B6 B12
	具体的な条件を聞く	御社としては｛どのぐらいの線／どういった方向｝をお考えでしょうか。	3	B5
	対応策を打診する	〜たいと思いますが……	7	A4
依頼	客を上司に引き継ぐ	（　理由　）て……上司を出せとおっしゃっているんです。申し訳ありませんが、お願いできますでしょうか。	5	A2
	トラブルの詳細な状況説明を客に求める	詳しい状況についてご説明いただけますでしょうか。／どのような〜でしょうか。	6	A4

機能表現　179

機能	状況・場面	表現	課	会話番号
依頼	依頼する	～てもらえますか。／～てもらえませんか。 ＜～ていただけますか。／～ていただけませんか。＜～ていただけますでしょうか。／～ていただけないでしょうか。	6	B5 A9
	プレゼン－検討を依頼する	｛ぜひとも／どうか／ぜひ｝｛ご検討を／採用していただきたく／よろしく｝お願い申し上げます。	11	A5
か				
確認	日時を確認する	（　日にち・曜日　）の（　時間　）ですね。	1	B7
	わからない点を聞き返して確認する	～というのは～（ということ）でよろしいでしょうか。	2	B8
	電話－復唱する	復唱させていただきます。／繰り返させていただきます。／確認させていただきます。	4	A9
	確認する	｛～としては／～は／～が｝、～ということですか……	10	B4
	相手の質問を引用して、質問の形で確認・指摘・反論する	～ということでしたが、｛～ということでしょうか／～という理解でよろしいでしょうか／～はございますか｝。	11	B2
感謝	礼を言う	このたびは｛ご配慮／ご提案／お話を｝いただきありがとうございました。	8	A2
	礼を言う	今回の件につきましては、～いただき、｛本当に感謝しております／深く感謝しております／大変ありがたく思っております｝。	8	A5

機能	状況・場面	表現	課	会話番号
感謝	感想を述べる	貴重なお話でした。／大変勉強になりました。／いろいろためになりました。	9	B11
き				
議事進行	プレゼン—議事を進行する	｛それでは早速、／では、次に／それでは、最後に｝ 〜について ｛ご説明いたします／話を進めてまいりたいと思います／お話ししたいと思います｝。	11	A4
	プレゼン—議事を進行する	それでは、｛質疑応答に移らせていただきます／ご質問をお受けしたいと思います／質問にお答えしたいと思います｝。	11	A6
	質問を受ける	ご質問、ご指摘等ございましたら、｛どうぞ＜（挙手を）お願いします＜（挙手を）お願いいたします｝。	11	A6
恐縮	恐縮する	恐れ入ります。／そこまでおっしゃっていただくと心苦しい限りです。	1 8	B3 A6
	恐縮する	そうおっしゃっていただくとますます恐縮です。／もったいないお言葉です。	8	A3
許可	質問の許可を求める	（一つ）｛お聞きしても／伺っても｝よろしいでしょうか。／ （一つ）お伺いしたいんですが。	2	B9
切り上げ	話を切り上げる	わたしのほうからは以上ですが、〜。／こんなところですが、〜。／このぐらいですが、〜。	2	A14
	話を切り上げる	じゃ、そういうことでよろしく頼みます。 ＜では、〜ということでよろしくお願いいたします。	2	A15

機能	状況・場面	表現	課	会話番号
切り上げ	話を切り上げる	じゃあ、今日はそういうことで。	10	B6
	わびて切り上げる	ご迷惑をおかけして大変申し訳ありませんが、よろしくお願いいたします。	4	A10
	プレゼン―終了の宣言をする	｛（特に）なければ＜（特に）ないようでしたら＜よろしければ｝｛以上で終わらせていただきたいと思います／以上をもちまして終わりにさせていただきます／これで終了させていただきます｝。	11	A9
切り出し	部下を呼ぶ	ちょっといいですか。	2	A1
	本題を切り出す	で、早速ですが、	3	B3
	本題を切り出す	では、今日の本題に｛移らせ／入らせ／ついてご説明させ｝ていただきます。	10	A1
	質問を切り出す	まず、｛～は／～ですが｝、｛～ですか／～でしょうか｝。	9	B4
	プレゼン―開始の宣言をする	｛早速／早速ですが／これより｝ ～に｛入らせていただきます／ついてご説明させていただきます／ついてお話ししたいと思います｝。	11	A1

く

機能	状況・場面	表現	課	会話番号
苦情	苦情を言う	わたし、（ 立場を言う ）んですが。（ 事情説明 ）んですが……	4	B2

け

機能	状況・場面	表現	課	会話番号
見解	否定的な意見の前にプラスのコメントをする	～は｛いいと思うんです／面白いと思います｝。	3	A4
	難色を示す	ただ、～がちょっと……	3	A4

機能	状況・場面	表現	課	会話番号
見解	難色を示す	そうですか。｛なかなか厳しいですねぇ／うーん、難しいですね｝……	3	B6
	断定を避けて、原因を説明する	｛もう少し詳しく調べてみる必要はありますが／断定はできませんが／まだ特定はできませんが｝、｛～が原因ではないか／～に問題がある／～によるものではないか｝と｛思われます／見られます／考えられます｝。	6	A10
	説明をまとめる	｛こうしたことから／以上のことから／従いまして｝｛～と考えています／～と考えます｝。	10	A1
謙遜	謙遜する	｛いやあ……まあ、／まだまだですよ、／いや、それほどでも……｝　～から……	9	A4

こ

機能	状況・場面	表現	課	会話番号
断り	自社の事情・立場を説明する	（大変）申し訳ありません、｛～ことになっているんですが／～になっておりまして／～とさせていただいているんですが／～させていただいているかと思いますが｝……	4	A4 A5
	訪問の目的を説明する	大変残念ではありますが、（　理由　）て……今回は｛なかったお話／見送る／見合わせる｝ということにさせていただきたく、｛ご説明かたがた、ご了解を賜りたい／おわびかたがた、ご理解いただきたい／ご説明して、おわび申し上げたい｝と｛思いまして＜存じまして｝お伺いした次第です。	8	A2

機能表現　183

機能	状況・場面	表現	課	会話番号
断り	謝絶－事情を説明する	今回の件は、｛できることならお受けしたかったのです／大変魅力的なお話だったのです｝が、｛正直なところ／本音を申しますと／実を言えば｝〜事情がございまして……	8	A6

し

機能	状況・場面	表現	課	会話番号
指示	仕事の引き継ぎを指示する	（名前）さんに〜を｛頼みたい／見てもらいたい／お願いしたい｝と思って。	2	A3
	仕事の引き継ぎを指示する	〜を（よろしく）お願いします。	2	A5
	仕事の引き継ぎを指示する	〜ておいてもらえますか。	2	A6
	事情を説明して指示する	〜ので、〜ておいてほしいんです。	2	A12
	役割分担する	〜はわたしのほうでやっておくから、（名前）さんは〜ておいてください。	7	B7
	資料を見るよう促す	｛その辺のところ／その辺について／その点に関して｝は、〜に詳しく書かれています／〜をご覧ください／〜をご覧いただけますか｝。	10	C1
	資料を見るよう促す	〜の現状ですが、〜をご覧ください。	11	A2
事情説明	事情を説明する	実は、〜まして、〜	1	B3
	事情を説明する	実は、〜ことになったんですよ。	2	A2
	自社の事情を話す	｛うちも＜私どもも｝〜ものですから……	3	A8

機能	状況・場面	表現	課	会話番号
事情説明	トラブルが起きたと伝える	実は、〜んですが、｛困ったことが起きていまして／問題がありまして／トラブっていまして｝……	6	B2
	上司にクレームを報告する	ご報告なんですが、実は〜とのクレームがありまして……	7	A2
	事情を説明して、対応と問題点を述べる	〜ということで、〜ところ、〜です。	7	A3
	対応と客の反応を述べる	｛とりあえず／応急措置として／ひとまず｝｛〜しました／〜てきました｝が、先方は、｛〜ということで／〜とおっしゃっていて｝……	7	A3
	事情を説明して、結論を述べる	〜でして、〜（という）結論に至った次第です。	8	A7
質問	質問の有無を聞く	（ほかに）何かありますか。＜何かございますか。＜何かございますでしょうか。	2 11	A14 A9
	問いただす	で、｛やってくれるんですか／どうしてくれるんですか＜どうしていただけるんですか｝。	5	B4
	相手の言葉を引用して、詳細な説明を促す	〜ということですが……	10	B1
謝罪	部下の非礼をわびる	先ほどは担当の者が失礼いたしました。	5	C6

機能表現　185

機能	状況・場面	表現	課	会話番号
主張	自社の立場を示す	私どもといたしましては　～が……	3	B4
	相手に理解を示しながらも、自分の立場を押す	｛それはよくわかりますが／そうかもしれませんが／それはそうなんですが｝、やはり～というのはちょっと……	3	A5
	自社の立場を訴える	わたしどもとしても～ので……／わたしどもとしては～ものですから……	6	B5 B12
	困っていることを訴える	一刻も早く何とかしていただきませんと……／大変困っている状況でして……／どうしようもないんですよ……	6	B8
	プレゼン―要点をアピールする	以上、お話ししてまいりましたが、～ということを｛今一度／再度／重ねて｝申し上げたいと思います。	11	A5
照会	照会する	ちょっと｛確認したい／調べてもらいたい＜お聞きしたい／伺いたい｝んですが。	4	B1
助言	助言する	～たほうが｛いいと思いますよ／いいかもしれませんね／よさそうですね｝。	2	A11
せ				
説明	強調してポイントを挙げる	｛何といっても／まず（は）／何よりも｝～（こと）です。	9	A6
	案件を説明する	～の件ですが、これは、｛～です／～ます｝。	10	A1
	プレゼン―質問の時間について説明する	｛ご質問があれば＜ご質問のほうは＜ご質問がございましたら｝、｛発表終了後ということで／発表後にお受けしたいと思いますので／発表の後にお受けしますので｝よろしくお願いします。	11	A1

機能	状況・場面	表現	課	会話番号
説明	グラフを説明する	これは、〜です。こちらからおわかりのように、〜ています。	11	A2
	背景(はいけい)を説明する	これは、｛〜によるものと思われます／〜が背景にあると見られます／〜が考えられます｝。	11	A2
	問題提起(ていき)する	｛こうしたことから／ですから／したがいまして｝｛〜必要がある／〜かぎとなる／〜急務(きゅうむ)である｝と思います。	11	A2
	ポイントを説明する	まず、〜。次に、〜。｛それから／そして／それに｝、〜。	11	A3

ち

機能	状況・場面	表現	課	会話番号
注意	注意する	〜てくれますか。／〜というのはちょっと……／〜べきなんじゃないですか。	7	B4
	注意する	〜こと。	7	B6
	相手に理解を示した上で諭(さと)す	｛それはわかるけどね／それはそうなんだけどね／それはもちろんだけど｝、｛〜ぐらいはできるでしょう／〜があってもいいでしょう／〜べきでしょう｝。	7	B5
聴取(ちょうしゅ)	トラブルの原因を聞く	どういったことでしょうか。	6	A3
	トラブルの原因を問いただす	｛どういうことな／どうしてこういうことになった／何が原因な｝んでしょうか。	6	B3
	状況を聞く	どうですか。／どんな感じですか。／何とかなりそうですか。	6	B10
	部下に説明を求める	〜ってどういうこと？＜〜というのはどういうことですか。	7	B2

機能	状況・場面	表現	課	会話番号
聴取	相手の回答を発展させて質問する	具体的には【疑問詞】〜でしょうか。	9	B5
	相手の回答について詳細な説明を求める	〜とおっしゃいますと、（具体的には）｛どんなことをなさるん／どういうことだったん／何が問題だったん｝でしょうか。	9	B7
	遠慮がちに質問する	｛お差しつかえない範囲でけっこうですので／できましたら／よろしければ｝｛お聞かせいただければ……／お聞かせいただければと思いますが……／お聞かせいただけないでしょうか。｝	9	B10
	相手の感触を探る	〜としては、｛どんな感じ／どう＜いかが｝でしょうか。	10	A5

て

機能	状況・場面	表現	課	会話番号
提案	提案する	〜というのはいかがでしょう。	3	B7
	提案する	そこで、｛私ども／私たち／我々｝は、〜をご提案したいと思います。	11	A3

ね

機能	状況・場面	表現	課	会話番号
ねぎらい	ねぎらう	ご苦労様。／お疲れ様。	7	B4

は

機能	状況・場面	表現	課	会話番号
配慮	理解を示す	そのことについては、｛誠意あるご検討をいただいたと聞いて／重々承知して／以前から認識して｝おります。	8	B6
反省	反省の意を示す	〜でございますが、今後は｛改める／気をつける／徹底する｝ようにいたします。	5	C7

機能	状況・場面	表現	課	会話番号
反省	反省の意を示す	｛以後／十分｝気をつけます。	7	A7
	反省して、今後のつきあいを踏まえた終わりのあいさつをする	｛以後このようなことのないようにいたします／これからはこのようなことのないよう気をつけます｝ので、どうか今後ともよろしくお願いいたします。	5	C10
反論	反論する	～というのはどういうことでしょうか。／～は話になりませんよ。／～というのはどういう意味でしょうか。／～はありえないことですよね。	6	B11
	根拠を述べてから、質問の形で反論する	～が、｛～を考える／～という観点から見る／～ということから言う｝と、｛ちょっと～ませんか／ちょっと～すぎませんか／どうでしょうか｝。	10	B2
	相手を認めながら、根拠を述べて婉曲に反論する	｛確かに～はあります／そう言えなくもありません／そういう面もあります｝が、｛～を考える／～といったことも考える／～ということからする｝と、｛～かと／～ではないかと思われますが／～のではないでしょうか｝……	10	A3
	相手を認めながら、根拠を述べて婉曲に反論する	｛おっしゃるように～はあるものの／確かに～が／そのような問題はありますが｝、｛～を勘案する／～を考える／～を踏まえる｝と、｛～ということになろうかと思いますが／～ない手はないのではないかと／～ではないかと思われますが｝……	10	C1
	相手に理解を示すが、質問の形で強く反論する	｛それはわかります／それはそうなんです／おっしゃることはよくわかります｝が、～よね。～んじゃないでしょうか。	10	B3

機能	状況・場面	表現	課	会話番号
へ				
弁解	弁解する	〜もので……	7	A5
返事	いいと言う	ええ、いいですよ。／ええ、大丈夫です。／ええ、けっこうです。／ええ、構いません。＜ええ、けっこうでございます。	1	A5 B6
	相手に合わせる	私のほうはいつでも｜大丈夫です／構いません／けっこうです＜けっこうでございます｜。	1	B6
	承知する	わかりました。＜承知しました。＜かしこまりました。	1	B7
	保留する	少しお時間をいただけますでしょうか。｜上の者に話しまして、改めてご相談させていただく／社に戻って検討いたしまして、もう一度お話しさせていただく／上に話しまして、後ほどご連絡させていただく｜ということでよろしいでしょうか。	3	B8
	保留する	申し訳ございません。｜この後／後日｜改めて｜ご説明させていただくということでよろしいでしょうか／お話しするということにさせていただいてもよろしいでしょうか｜。	11	A8
	電話—保留する	それでは申し訳ありませんが、少しお時間をいただけますでしょうか。一度お電話をお切りして、上の者から｜折り返し／改めて｜お電話させて｜いただくいうことで／いただきたいと思いますが＜いただきたいと存じますが｜よろしいでしょうか。	4	A7

機能	状況・場面	表現	課	会話番号
返事	至急対応すると言う	{今から／至急／早急に}〜（さ）せていただきます。	6	A6
	あいまいに答える	まだ、はっきりしたことは{言えません＜申せません}が、〜。	9	A10
	答えを避ける	いやいや、まだ白紙の段階ですよ。／お答えするのは難しいですね。／いやあ、〜によってかなり違いますから。	9	A11
	返礼する	お役に立てれば幸いですが。／参考にしていただければ……／そう言っていただけると幸いです。	9	A12
	断定を避けて返事を保留する	まあ、{〜としても／〜なら}〜ということになるでしょうね。{持ち帰って検討して／〜とも相談の上}、〜と思いますが……	10	B5
も				
申し入れ	面会を申し入れる	お忙しいところ{申し訳ございませんが／恐縮ですが}お時間を{いただけないでしょうか／ちょうだいできませんでしょうか}。	1	B4
申し出	申し出る	よろしければわたしのほうから〜ましょうか。	2	B11
や				
約束	速やかな解決を約束する	{早急に／できるだけ早く}{〜します＜〜いたします＜〜させていただきます}。	6	A12
よ				
用件	用件を述べる	つきましては〜と思いまして……	1	B4

機能	状況・場面	表現	課	会話番号
用件	訪問の目的を述べる	今日は ｛〜について＜〜につきまして｝、〜と思いまして（参りました）。	3 9	B3 B3
要請	具体的な条件を提示する	｛本音を言うと／単刀直入に言って／率直に言わせていただくと｝ 〜ていただければ……	3	A6
	相手をゆさぶりながら自社の立場を更に押す	〜でしたら、｛今この場で決められる／話を前に進められる／上に話を通しやすい｝んですが……	3	A7
	更に強く押す	もう少し何とかなりませんか。＜何とかやっていただけませんか。＜何とかお願いできないでしょうか。	3	A8
	客に理解を求める	｛何とかご理解／どうかご容赦／ご勘弁｝いただけないでしょうか。	4	A6
	自社の立場を説明し、理解を求める	私どもといたしましても、〜ものですから… 〜ことでご理解いただきたいのですが……	5	C8
	善後策を提示し、理解を求める	〜ということで、｛ご容赦／お許し／ご勘弁｝ いただけないでしょうか。	5	C9
	せかす	｛大至急／至急／急いで／とにかく早く｝｛お願いします／頼みます｝。	6	B6 B13
	せかす	｛一両日中にも／今日明日中にも｝ご一報をお待ちしていますよ。	6	B13

監修
宮崎道子
　　元（一財）国際教育振興会　日米会話学院　日本語研修所所長
　　元　インターカルト日本語学校　ビジネス日本語研究所所長

著者
瀬川由美
　　著書：『改訂版 ニュースの日本語 聴解50』、『改訂版 中級からはじめる ニュースの日本語
　　　　　聴解40』、『BJT ビジネス日本語能力テスト 聴解・聴読解 実力養成問題集 第2版』、
　　　　　『BJT ビジネス日本語能力テスト 読解 実力養成問題集 第2版』、『日常会話で親しく
　　　　　なれる！ 日本語会話中上級』

紙谷幸子
　　（一財）国際教育振興会　日米会話学院　日本語研修所講師
　　著書：『改訂版 ニュースの日本語 聴解50』、『改訂版 中級からはじめる ニュースの日本語
　　　　　聴解40』、『日常会話で親しくなれる！ 日本語会話中上級』

北村貞幸
　　元（一財）国際教育振興会　日米会話学院　日本語研修所講師
　　著書：『ニュースの日本語 聴解50』、『中級からはじめる ニュースの日本語 聴解40』、『BJT
　　　　　ビジネス日本語能力テスト 聴解・聴読解 実力養成問題集 第2版』

装丁・本文デザイン
山田　武

人を動かす！　実戦ビジネス日本語会話

2008年 7月29日　初版第1刷発行
2025年 8月 8日　第13刷 発行

監　修　　宮崎道子
著　者　　瀬川由美・紙谷幸子・北村貞幸
発行者　　藤嵜政子
発　行　　株式会社　スリーエーネットワーク
　　　　　〒102-0083　東京都千代田区麹町3丁目4番
　　　　　　　　　　　トラスティ麹町ビル2F
　　　　　電話　03(5275)2722（営業）
　　　　　https://www.3anet.co.jp/
印　刷　　倉敷印刷株式会社

ISBN978-4-88319-470-4 C0081
落丁・乱丁本はお取替えいたします。
本書の内容についてのお問い合わせは、弊社ウェブサイト「お問い合わせ」
よりご連絡ください。
本書の全部または一部を無断で複写複製（コピー）することは著作権法上
での例外を除き、禁じられています。

■ 中上級ビジネス日本語教材

人を動かす!
実戦ビジネス日本語会話 中級

一般財団法人国際教育振興会　日米会話学院　日本語研修所 ● 著
中級1　B5判　109頁　CD1枚付　2,640円（税込）　（ISBN978-4-88319-742-2）
中級2　B5判　111頁　CD1枚付　2,640円（税込）　（ISBN978-4-88319-756-9）

改訂版 中級からはじめる
ニュースの日本語 聴解40

瀬川由美、紙谷幸子 ● 著
B5判　96頁＋別冊40頁　2,200円（税込）　（ISBN978-4-88319-906-8）

改訂版 ニュースの日本語 聴解50

瀬川由美、紙谷幸子 ● 著
B5判　205頁＋別冊36頁　2,640円（税込）　（ISBN978-4-88319-926-6）

■ JLRTの攻略

BJTビジネス日本語能力テスト
聴解・聴読解 実力養成問題集 第2版

宮崎道子 ● 監修　瀬川由美、北村貞幸、植松真由美 ● 著
B5判　215頁＋別冊45頁　CD2枚付　2,750円（税込）　（ISBN978-4-88319-768-2）

BJTビジネス日本語能力テスト
読解 実力養成問題集 第2版

宮崎道子 ● 監修　瀬川由美 ● 著
B5判　113頁　1,320円（税込）　（ISBN978-4-88319-769-9）

スリーエーネットワーク　ウェブサイトで新刊や日本語セミナーをご案内しております。
https://www.3anet.co.jp/

人を動かす！
**実戦ビジネス
日本語会話**
【別冊】

CDスクリプト　課題3、課題4 会話例

スリーエーネットワーク

目　次

第 1 課　アポイントメント …………………………………………………………… 2

第 2 課　業務引き継ぎ ………………………………………………………………… 6

第 3 課　面会して交渉する …………………………………………………………… 10

第 4 課　個人客からの苦情（1） …………………………………………………… 14

第 5 課　個人客からの苦情（2）上司に引き継ぐ ………………………………… 18

第 6 課　トラブル処理（1） ………………………………………………………… 22

第 7 課　トラブル処理（2）上司への報告 ………………………………………… 26

第 8 課　謝絶する ……………………………………………………………………… 30

第 9 課　インタビュー・取材 ………………………………………………………… 34

第 10 課　議論する …………………………………………………………………… 38

第 11 課　プレゼンテーション ……………………………………………………… 42

第1課
アポイントメント

課題3

製造メーカーD&Lの営業担当者のコウさんは、自社の商品を紹介するために、初めてABC物産営業1部の平田さんに電話をかけ、面会の約束を取りつける。

立場：コウ（D&L・営業担当者） ＜ 平田（ABC物産営業1部・客）

1
平田：はい、ABC物産営業1部でございます。
コウ：初めてお電話させていただきます。私、D&Lのコウと申しますが、平田様はいらっしゃいますでしょうか。
平田：私ですが。
コウ：初めまして。私、D&Lのコウと申します。このたび、日本商事の横山様から平田様をご紹介いただきまして、お電話させていただきました。あの、今、お話ししてもよろしいでしょうか。
平田：ええ。横山さんからお話は伺ってますよ。
コウ：恐れ入ります。どうぞよろしくお願いいたします。

2
コウ：実は、私ども、このほど東京支社を開設いたしまして、日本のお客様に向けて、独自の商品を展開してまいりたいと考えております。
平田：そうですか。
コウ：はい。つきましては、ごあいさつかたがた、私どもで扱っております商品について、ご紹介させていただければと思いまして……お忙しいところ恐縮ですが、お時間をいただけないでしょうか。
平田：ええ、いいですよ。
コウ：ありがとうございます。

🎧 **3**

コウ：あの、ご都合はいつがよろしいでしょうか。
平田：そうですね……来週の木曜日はどうですか。
コウ：ええ、私のほうはいつでもけっこうでございます。で、お時間はいかがいたしましょうか。
平田：そうですね。では、午後2時でよろしいでしょうか。
コウ：承知いたしました。

🎧 **4**

コウ：来週の木曜日の午後2時ですね。で、どちらに伺えばよろしいでしょうか。
平田：私どもの場所はご存知ですか。
コウ：はい、東京駅のサウスビルですね。
平田：ええ。そこの1階の受付にお越しいただけますか。
コウ：かしこまりました。では、来週23日木曜日の午後2時、サウスビル1階受付にお伺いするということで、よろしくお願いいたします。
平田：ええ、お待ちしています。
コウ：ありがとうございました。では、失礼いたします。
平田：失礼します。（電話を切る）

課題4 会話例

ユニ電子のローランさんは新商品のカタログを紹介するために、懇意にしている取引先の北柴電機営業部の大木さんに電話して面会の約束を取りつける。

立場：ローラン（ユニ電子・営業担当者） ＜ 大木（北柴電機営業部・客）

🎧 5
大木：はい、北柴電機営業部でございます。
ローラン：私、ユニ電子のローランと申しますが……
大木：どうもローランさん、大木です。いつもお世話になっております。
ローラン：こちらこそお世話になっております。あの、今ちょっとお話ししてもよろしいでしょうか。
大木：ええ、どうぞ。

🎧 6
ローラン：あの、先日お話しさせていただきました新商品の件なんですが、カタログができましたので、お持ちしたいと思いまして。
大木：そうですか、ありがとうございます。

🎧 7
大木：じゃあ、明日の午後はいかがですか。
ローラン：あ、申し訳ありません。明日の午後はちょっと……予定が入ってしまってまして……今週はあさって以降でしたらいつでも構わないんですが……
大木：そうですか。……あの、実はあさってから1週間出張に出てしまうものですから……
ローラン：そうですか……
大木：戻りは来週の水曜になるんですが、それ以降でよろしければ……
ローラン：お戻りは15日の水曜日ですね……すみません、少々お待ちいただけますか。スケジュールを確認いたしますので……えーと、金曜日はいかがでしょうか。
大木：ええ、構いませんよ。では、来週金曜の午後1時半はいかがでしょう。
ローラン：はい、けっこうです。

🎧

ローラン：では、17日金曜日の午後1時半にお伺いするということで、よろしくお願いします。

大木：わかりました。お待ちしています。

ローラン：では、失礼します。

大木：失礼します。

第2課
業務引き継ぎ

課題3

ある商社の営業部課長の室田さんは、来週から海外に出張するため、部下でチーフのブラウンさんに出張中の仕事について引き継ぎ事項を指示する。

立場：ブラウン(部下) ＜ 室田課長(上司)

🎧9
課長：ブラウンさん、ちょっといいですか。
ブラウン：はい、何でしょうか。
課長：実は、来月の海外出張が前倒しになって、来週行くことになったんですよ。
ブラウン：そうですか。ずいぶん急ですね。
課長：うん、向こうの都合でね。それで、ブラウンさんに留守中のことをお願いしたいと思って。
ブラウン：はい、わかりました。
課長：ここじゃあ、なんだから、そちらの広いテーブルでやりましょうか。
ブラウン：はい。

🎧10
課長：まず、恒例の国際見本市協賛の件をよろしくお願いします。
ブラウン：わかりました。概要のほうはどうなっているんでしょうか。
課長：うん、来週早々には事務局から届くでしょう。条件をよく確認して、この間の打ち合わせで決めた線で協議書を上げておいてもらえますか。
ブラウン：承知しました。何かあった場合はどのように……
課長：その時は部長に相談してください。
ブラウン：わかりました。

🎧11

課長：次に、例のパーティーは部長に同行するということでよろしくお願いします。

ブラウン：あの、例のパーティーというのは、フレンド商会の社長就任パーティーということでよろしいでしょうか。

課長：うん、そうそう。14日のです。

ブラウン：承知しました。あの、一つお聞きしてもよろしいでしょうか。

課長：どうぞ。

ブラウン：エコ・フェスタ出展については何かございますか。

課長：ああ、それなんですが、企画部の島田チーフあたりにも相談してみたほうがよさそうですね。

ブラウン：わかりました。では、よろしければわたしのほうから、今日にでも島田チーフに話してみましょうか。

課長：よろしくお願いします。じゃあ、それは大丈夫ですね。あと、いろいろ懸案事項があるので、出張先に毎日の報告をメールしておいてほしいんです。

ブラウン：わかりました。

🎧12

ブラウン：あの、緊急の際はどうすればよろしいでしょうか。

課長：携帯を持ってるから、そちらに連絡をお願いします。

ブラウン：承知しました。

課長：こんなところですが、何かありますか。

ブラウン：いえ……

課長：じゃ、そういうことでよろしく頼みます。

ブラウン：はい。

課題 4 会話例

ある機械メーカーの営業部課長のチンさんは、出張のため、部下の岡田さんに引き継ぎを指示する。

立場：岡田(部下) ＜ チン課長(上司)

🎧13
課長：岡田さん、ちょっといいですか。
岡田：はい、何でしょうか。
課長：実は、部長の同行で明日あさってと名古屋に出張することになったんですよ。
岡田：そうですか。課長もいらっしゃらないとなると厳しいですね。
課長：うん、申し訳ない。それで岡田さんにその間のことをいくつかお願いしたいと思って。
岡田：はい、わかりました。
課長：ここじゃ、落ち着かないから、あっちの広いテーブルでやりましょうか。
岡田：はい。

🎧14
課長：まず、Ｋ＆Ｇ社来社の件ですが、先方をお連れする社用車を手配しといてもらえますか。
岡田：承知しました。向こうは仕入担当課長と技術部次長の２人ですね。うちのほうは何人でしょうか。
課長：部長とわたし、全部で４人です。ゆったり座れるような大きめのをお願いします。
岡田：わかりました。総務に空いてないと言われた場合はどうしましょう。
課長：その時は岡田さんから直接外部に頼んでください。
岡田：はい。

🎧 15

課長：次に、国際環境フェアの計画書の件ですが、見直し案を作るということでよろしくお願いします。

岡田：あの、見直し案というのは、出品数を絞って、去年の経費並に抑えるということでしょうか。

課長：そうです。社で打ち出しているクリーン・エア、クリーン・ウォーターのコンセプトが強調できるものに絞るということです。

岡田：わかりました。あの、一つ伺ってもよろしいでしょうか。

課長：どうぞ。

岡田：明日午後の開発部との打ち合わせについては何かございますか。

課長：ああ、それなんですが、調査部のだれかに入ってもらったほうがいいかもしれませんね。

岡田：そうですか。では、よろしければわたしのほうから、この後すぐに谷口主任に話を通しておきましょうか。

課長：よろしくお願いします。じゃあ、それはオーケーですね。あと、お客さんからの問い合わせのメールを後で岡田さんのところへ転送するので、返事しといてほしいんですが。

岡田：わかりました。

🎧 16

岡田：あの、課長にご連絡したい場合はどちらにすればよろしいでしょうか。

課長：携帯のほうにお願いします。つながらないときは留守電にメッセージを残してください。折り返し電話しますので。

岡田：はい、承知しました。

課長：わたしからはこんなところですが、何かありますか。

岡田：いえ……

課長：じゃ、そういうことでよろしく頼みます。

岡田：はい、わかりました。

第3課
面会して交渉する

課題3

キムさんは先日出した見積書について返事をもらうために、佐藤さんの会社を訪問する。

立場：キム（営業担当者） ＜ 佐藤（客）

🎧17
佐藤：どうもお待たせしました。
キム：いいえ。今日は、お忙しいところお時間をいただきましてありがとうございます。
佐藤：いいえ、こちらこそ。わざわざお越しいただきありがとうございます。外は暑かったでしょう。
キム：ええ、やっぱり温暖化の影響ですかねぇ……
佐藤：そうですね。

🎧18
キム：で、早速ですが、今日は先日お出しした見積もりの件につきまして、その後いかがかと思いまして。
佐藤：ええ、それなんですが……品質そのものはいいと思うんですよ。ただ、上を説得するには価格がちょっと……
キム：そうですか……私どもといたしましては、精いっぱいやらせていただいたつもりなんですが……
佐藤：ええ、それはよくわかりますが、やはりこんな時代ですから、単価8,000円というのは、ちょっと……
キム：そうですか……

🎧 19

キム：あの、御社としては、どのぐらいの線をお考えなんでしょうか。

佐藤：そうですね。本音を言うと、もう15％下げていただければ……

キム：そうですか……なかなか厳しいですねぇ……

佐藤：この数字でしたら、今この場で決められるんですが。

キム：そうですか……あの、お取引の数を増やしていただくというのはいかがでしょう。

佐藤：そうですね……いやあ、実は、ほかからも話が来てまして、おたくより20％以上安いんですよ。うちもギリギリでやってるものですから……まあ、そこまでとは言いませんが、もう少し何とかなりませんか。

キム：そうですね……

🎧 20

キム：わかりました。では、少しお時間をいただけますでしょうか。私の一存では決めかねますので、その辺のところを上の者に話しまして、改めてご相談させていただくということでよろしいでしょうか。

佐藤：ええ、けっこうですよ。

キム：ありがとうございます。では、そういうことでよろしくお願いいたします。

佐藤：価格面がクリアになれば、わたしもおたくを推しますから、いいお返事、お待ちしていますよ。

キム：はい。今日は、お忙しいところありがとうございました。

佐藤：こちらこそどうも。

キム：失礼いたします。

課題 4 会話例

　　ムーン産業は、借り入れコスト圧縮のため、懇意にしている日東銀行から低い金利で借り入れ、今あるウエスト銀行からの借入金を返済することを考えている。そこで、ムーン産業財務担当の金子さんは、日東銀行のアリさんを訪ね、先日提示された金利について相談した。

立場：金子（ムーン産業・財務担当者）＝アリ（日東銀行・融資担当者）

21

金子：どうも、遅くなりまして申し訳ございません。
アリ：いいえ、わざわざお越しいただきありがとうございます。
金子：いやあ、地下鉄で車両故障があったとかで、駅の手前で10分近くストップしてしまいまして。
アリ：そうですか。大変でしたね。最近、故障や事故が多いですよね。
金子：本当に。先週は夕方のラッシュアワーに雷雨で、1時間近く不通になってしまいまして。参りましたよ。
アリ：いつ動くんだろうかとイライラしますよね。まあ、お茶でもどうぞ。
金子：恐れ入ります。

22

金子：早速ですが、今日は先日ご提案いただいた借り換えの金利の件につきまして、ご相談させていただきたいと思いまして。
アリ：先日のお電話では、金利水準がもう少し何とかならないかということでしたね。
金子：ええ、御行からご提示いただいた3.75％というのは、現在の私どもの借り入れ金利からすれば、コスト圧縮の点で大変助かります。
アリ：御社は財務内容もしっかりしていらっしゃいますので、優遇したレートをお出ししたんですよ。
金子：ありがとうございます。ただ、私どもの考えております線からしますとちょっと……
アリ：そうですか……この数字は当行といたしましてもいっぱいいっぱいの水準なんですが……

金子：ええ、それはよく……実は、当社の資金調達コストなんですが、同業平均で見ますと割高になっておりまして……この削減が今期の経営計画の一つになっているという事情があるんです。

アリ：なるほど……

🎧23

アリ：御社としてはどのぐらいの線をお考えなんでしょうか。

金子：削減目標を達成するためには、3.5％の線を目指したいと……

アリ：3.5％ですか……うーん、厳しいですね……

金子：実は、大変申し上げにくいんですが、3.25％でどうかと言ってきている銀行がありまして。まあ、今まであまりおつきあいがなかったところからなんですが……そこまでとは申しませんが、もし、3.5％が可能であれば、すぐにでも話が進められるものですから……何とかお願いできないでしょうか。

アリ：そうですね……多少リスクをとって、ということでしたら……例えば、一部短期の変動金利にして金利水準を抑えるなど、ご検討いただく余地はあるかと思いますが。

金子：そうですか。では、そのような調達方法も含めて、具体的にいくつかご提案いただけますでしょうか。

🎧24

アリ：わかりました。至急検討して、上の者にも相談の上、改めてご連絡させていただきます。

金子：助かります。では、そういうことでよろしくお願いいたします。

アリ：承知しました。今日は、わざわざお越しいただきありがとうございました。

金子：いえ、こちらこそありがとうございました。では、失礼いたします。

第4課
個人客からの苦情(1)

課題3

ホテルブリットのフロント係の松井さんは宿泊客(田中)から苦情の電話を受ける。

立場:松井(ホテルブリット・フロント係) < 田中(客)

🎧25
松井:はい、ホテルブリットでございます。
田中:ちょっとお聞きしたいんですが。
松井:はい、何でしょうか。
田中:わたし、先ほどチェックアウトした者なんですが。金額を確認したら、1泊25,000円の部屋を予約したはずなのに、28,000円になってるんですが……
松井:そうでしたか……ただいまお調べいたしますので、お客様のお名前をお願いできますでしょうか。
田中:田中です。
松井:田中様ですね。恐れ入りますが、このままで少々お待ちください。
(電話を保留にする)

🎧26
松井:お待たせいたしました。田中様、申し訳ありません。こちらのお部屋は、時期によって3段階の料金設定になっておりまして……25,000円は9月末までのもので、10月以降は28,000円となりますが……
田中:そんなこと聞いてないですよ。パンフレットにだって25,000円と書いてあるじゃないですか。
松井:大変申し訳ございません。パンフレットの下のほうにその旨を記載しておりまして、念のためご予約の際にも料金は確認させていただいているんですが……
田中:こんな小さい字じゃわかんないし、確認なんかされてませんよ。こっちに落ち度はないんだから、25,000円にしてください。
松井:それはちょっと……申し訳ございません。何とかご理解いただけないでしょうか。

田中：納得なんかできるわけないじゃないですか。あなたじゃ話にならないですよ。上の人出してください。

松井：かしこまりました。

松井：それでは申し訳ありませんが、10分ほどお時間をいただけますでしょうか。一度お電話をお切りして、上の者から折り返しお電話させていただきたいと思いますが、よろしいでしょうか。

田中：わかりました。時間ないんだから早くしてくださいよ。

松井：はい。では、恐れ入りますが、お客様のお電話番号をお願いできますでしょうか。

田中：010、1234の5678です。

松井：復唱させていただきます。010、1234の5678、田中様ですね。

田中：はい。

松井：私、フロント係の松井と申します。ご迷惑をおかけして大変申し訳ありませんが、よろしくお願いいたします。では、いったん失礼させていただきます。
（相手が電話を切ってから切る）

課題 4　会話例

携帯電話会社ＥＫ社のお客様サービスセンター担当者のユンさんが、利用客（小林）から苦情の電話を受ける。

立場：ユン(EK社・お客様サービスセンター担当者)　＜　小林(客)

🎧 28

ユン：はい、ＥＫ社お客様サービスセンターでございます。

小林：わたし、そちらの携帯を利用してる者ですが、ちょっと確認してもらいたくて。

ユン：いつもご利用いただきましてありがとうございます。どういったことでしょうか。

小林：今月の請求書が来たんですけど、金額が違ってるんです。Ｚプランだとかけ放題で一律2,000円って聞いたからプラン変更したのに、すごい金額になってるんですが。

ユン：そうですか……ただいまお調べいたしますので、お客様のお名前とお電話番号をお願いできますでしょうか。

小林：小林博です。010、3333の3333です。

ユン：コバヤシヒロシ様、010、3333の3333ですね。ありがとうございます。それでは恐れ入りますが、このままで少々お待ちください。（電話を保留にする）

🎧 29

ユン：お待たせいたしました。小林様、ただいま確認いたしましたところ、小林様がご契約のＺプランのご利用開始日ですが、9月1日からになっておりまして……8月のご利用分につきましては、以前のプランでのご請求となっておりますが…

小林：ええー、そんなこと知りませんよ。こっちは一律2,000円だと思うから、料金気にしないで使ってたんです。これじゃ詐欺じゃないですか。

ユン：大変申し訳ありません。あの、契約書にはそのことを記載しておりまして、お客様のサインもいただいておりますので……

小林：契約書っていいますけど、そっちの営業所の人からそんな説明聞いてないんだから。8月分もＺプランにしてくださいよ。

ユン：それは……申し訳ございません。何とかご理解いただけませんでしょうか。

小林：到底納得できませんね。あなたじゃ話にならないから、上の人に代わってください。

ユン：かしこまりました。

ユン：それでは申し訳ありませんが、少しお時間をいただけますでしょうか。一度お電話をお切りして、上の者から改めてお話しさせていただきたいと存じますが、よろしいでしょうか。

小林：そんなの待ってらんないから、すぐ代わって。こっちも暇じゃないんだから。

ユン：承知いたしました。では、少々お待ち下さい。（電話を保留にする）

第5課
個人客からの苦情（2）上司に引き継ぐ

課題3

ホテルブリットのフロント係の松井さんは宿泊客（田中）から苦情の電話を受けたが、客が納得しなかったので、課長のヤコブセンさんに事情を話し、対応を頼む。課長は松井さんに代わって客の対応にあたる。

立場：松井（ホテルブリット・フロント係）　＜　ヤコブセン課長（上司）　＜　田中（客）

🎧31

松井：課長、今よろしいでしょうか。

課長：何？

松井：実は、お客様からクレームの電話がありまして、これなんですが……（パンフレットを見せる）9月料金だと思ったから25,000円でやってほしいと……ご説明したんですが、ご納得いただけなくて……上司を出せとおっしゃっているんです。それで、10分後に改めてお電話することになっているんですが……申し訳ありませんが、お願いできますでしょうか。

課長：ん、わかった。

松井：お客様のお名前は田中様で、お電話番号はこちらです。（メモを渡す）
　　　よろしくお願いします。

課長：はい。

🎧32

（客に電話をかける）

課長：田中様でいらっしゃいますでしょうか。

田中：はい。

課長：私、ホテルブリットフロントオフィス課課長のヤコブセンと申します。お待たせいたしまして申し訳ございません。あの、今、お話しさせていただいてもよろしいでしょうか。

田中：どうぞ。

課長：先ほどは担当の者が失礼いたしました。

田中：まったくなってないですよ。

課長：大変申し訳ございませんでした。あの、それでパンフレットの料金の記載がわかりにくいとのご指摘でございますが、担当部署に話をいたしまして、今後は改めるようにいたします。ご迷惑をおかけして申し訳ございませんでした。

田中：それはわかりました。

田中：で、25,000円でやってくれるんですか。

課長：それは……私どもといたしましても、ほかのお客様からも記載どおりの料金をいただいているものですから……10月料金の28,000円ということでご理解いただきたいのですが……

田中：冗談じゃないですよ。

課長：それで、あの、代わりにと言ってはなんですが、ご迷惑をかけたおわびに、お部屋でご利用になったお飲み物の代金を、お客様のクレジットカードに返金させていただくということでご容赦いただけないでしょうか。

田中：……しょうがない。それでいいですよ。

課長：ありがとうございます。ご迷惑をおかけして申し訳ありませんでした。以後このようなことのないようにいたしますので、どうか今後ともよろしくお願いいたします。（相手が電話を切ってから切る）

課題 4 会話例

携帯電話会社ＥＫ社のお客様サービスセンター担当者のユンさんが、利用客（小林）から苦情の電話を受けたが、相手が納得しなかったので、課長のチェさんに事情を話して対応を頼む。課長はユンさんに代わって客の対応にあたる。

立場：ユン（EK社・お客様サービスセンター担当者）　＜　チェ課長（上司）　＜　小林（客）

🎧34

ユン：課長、至急のお客様なんですが、今、よろしいでしょうか。
課長：どうしたんですか。
ユン：クレームで、これなんですが……（契約書を見せる）8月も一律2,000円にしてほしいとおっしゃっていて、ご説明したんですが、ご納得いただけなくて……申し訳ありませんが、代わっていただけますでしょうか。
課長：わかりました。

🎧35

（客の電話に出る）

課長：小林様、大変お待たせいたしまして申し訳ございません。私、お客様サービスセンターの課長をしておりますチェと申します。このたびは申し訳ございません。
小林：ほんとにひどい話ですよ。おたくの営業所の社員教育、どうなってんですか。
課長：小林様、このたびはご説明が行き届かず、本当に申し訳ございませんでした。また、貴重なご指摘をありがとうございます。今回の不手際につきましては、早速営業所長に伝えまして、社員教育の徹底を図るようにいたします。ご迷惑をおかけして申し訳ございませんでした。
小林：そうお願いしますよ。

小林：それで8月分の請求はZプランにしてもらえるんですか。

課長：大変申し訳ございません。私どもといたしましても、ご契約書のほうに小林様のサインをいただいておりますものですから、ご契約書のとおりということでご理解いただきたいのですが……

小林：でも、それじゃあ納得できないって言ってんですよ。人の話、全然聞いてないじゃないですか。

課長：申し訳ありません。どうかご理解のほどお願いいたします。

小林：そんなに物わかりが悪いならもういいですよ。解約しますから。

課長：あの、小林様、それでは、何らかの対処ができないか再度検討させていただきますので、少しお時間をいただけないでしょうか。

小林：わかりました。できるだけ早く連絡くださいよ。

課長：かしこまりました。では後ほど改めてお電話させていただきますので。ご迷惑をおかけいたしますが、よろしくお願いいたします。

（相手が電話を切ってから切る）

第6課
トラブル処理（1）

課題3

コンピュータ情報処理会社・エースソリューションの営業1課のソンさんは、取引先のミツバ商事システム部の伊藤さんから、納入したシステムについてのクレームを電話で受ける。

立場：ソン（エースソリューション営業1課・担当者） ＜ 伊藤（ミツバ商事システム部・取引先）

🎧37

ソン：はい、エースソリューション営業1課でございます。
伊藤：私、ミツバ商事の伊藤と申しますが……
ソン：どうも伊藤さん、ソンです。いつもお世話になっております。
伊藤：こちらこそお世話になっています。実は、先日入れていただいたシステムなんですが、ちょっと困ったことが起きていまして……

🎧38

ソン：どういったことでしょうか。
伊藤：ええ、今朝から立ち上げたんですが、情報が反映されないんですが……どういうことなんでしょうか。
ソン：ご迷惑をおかけして申し訳ございません。詳しい状況についてご説明いただけますでしょうか。
伊藤：はい。各支社で売り上げ情報を入力しても、本社で確認できないんですよ。本社からもデータが送れませんし……
ソン：大変申し訳ありません。試験では問題はなかったんですが……
伊藤：とにかく、至急来ていただけませんか。わたしどもとしても、このままでは発注が滞って欠品が出てしまいますので。
ソン：ご迷惑をおかけして本当に申し訳ありません。今から開発担当者とお伺いして、至急対応させていただきます。
伊藤：ええ、大至急お願いします。
ソン：かしこまりました。（相手が電話を切ってから切る）

🎧39

(ミツバ商事にて)

伊藤:お待ちしていました。

ソン:このたびは、ご迷惑をおかけいたしまして申し訳ございません。

伊藤:いやあ、一刻も早く何とかしていただきませんと……

ソン:申し訳ありません。早速ですが、システムの状況を実際に拝見させていただけますか。

伊藤:ええ、お願いします。

🎧40

(問題部分を見た後)

伊藤:それでどうですか。

ソン:ええ、もう少し詳しく調べてみる必要はありますが、急に想定外の負荷がかかったことで、システムに無理が生じたことが原因ではないかと思われます。

伊藤:想定外というのはどういうことでしょうか。この程度の負荷に耐えられないようでは話になりませんよ。

ソン:本当に申し訳ありません。とりあえず今日のところは、旧システムに戻して対応させていただきました。今後の対応につきましては、一度社に帰りまして、原因の特定をしてから検討させていただきたいと思いますが……

伊藤:わたしどもとしては、既に新システム移行を前提に業務計画を立てているものですから……早くしていただかないと、全社的に業務に支障をきたすことになりますので……

ソン:はい、重ね重ね申し訳ありません。早急にお調べして、きちんとしたご報告をさせていただきます。

伊藤:よろしくお願いします。一両日中にもご一報をお待ちしていますよ。

ソン:承知いたしました。それでは失礼いたします。

課題 4 会話例

みなと電機営業部の藤田さんは、取引先である北東設備工業のシュルツさんから、北東設備を通して東都セントラルに納入した空調設備の支払い延期について電話で依頼される。

立場：藤田（みなと電機営業部・担当者） ＝ シュルツ（北東設備工業・取引先）

🎧 41

藤田：はい、みなと電機営業部でございます。
シュルツ：私、北東設備工業のシュルツと申しますが。
藤田：ああ、シュルツさん、藤田です。いつもお世話になっております。
シュルツ：こちらこそお世話になっております。あの、今よろしいでしょうか。
藤田：ええ、どうぞ。
シュルツ：実は、御社から仕入れた東都セントラルビル用の空調設備一式の件なんですが、ちょっとご相談したいことがありまして……

🎧 42

藤田：どのようなことでしょう。
シュルツ：ええ、実は昨日、先方から一部支払いの延期の連絡がありまして……恐縮ですが、私どもから御社へのお支払いのほうも、延ばしていただけないかと思いまして。
藤田：といいますと……？
シュルツ：はい、あの、今月末に契約額の半分をお支払いし、残りを2か月後の4月末にお願いできないかと……
藤田：いやあ、それは……困りましたね。契約上の支払い期限は、確か一括で、今月末でしたよね。
シュルツ：はい。ただ、今回はちょっと複雑な事情がございまして。
藤田：どういうことでしょう。

シュルツ：はい、ご存知のように、今回は御社の製品を私どもにお納めいただき、それを当社が発注元である東都セントラルビルに納入したわけですが、据え付け工事が完了した後で製品に欠陥が見つかりまして、約半分の製品について、部品を取り替えたという経緯がありましたよね。これが私どもから発注元への納入遅延と見なされまして……実際、建設工事の遅れにも多少影響してるもんですから。

藤田：そうですか……ただ、部品交換の時点ではそういうお話はなかったですし……それに、期末をまたいで売掛金が残るというのもちょっと……何とか当初の条件どおりでご決済いただけませんか。

シュルツ：うーん、わたしも経理のほうから突っつかれて困ってるんですよ。できましたら、御社でご相談願えないでしょうか。

藤田：そうですね……わかりました。一応承っておきます。

シュルツ：ありがとうございます。

藤田：一つお聞きしたいんですが、当社による部品交換が実際、建設工事の遅れにどの程度の影響を与えたのか、そのあたりの事情について何か説明した資料はあるでしょうか。

シュルツ：ええ。発注元から送られてきた書状に書かれてますので、とりあえずファックスで送らせていただきます。

藤田：よろしくお願いします。

シュルツ：かしこまりました。何とかよろしくお願いします。

藤田：まずは、それを拝見してから社内で至急相談しまして、改めてお電話させていただきます。

シュルツ：わかりました。では、すぐお送りしますのでよろしくお願いします。

藤田：はい。では、失礼します。

第7課
トラブル処理（2）上司への報告

課題3

コンピュータ情報処理会社・エースソリューションの営業担当ソンさんは、取引先のミツバ商事システム部の伊藤さんから、納入したシステムについてのクレームを電話で受ける。その後、出先から戻って来た課長に報告するが、一連の対応について課長から注意・指示される。

立場：ソン（エースソリューション営業1課・担当者）　＜　課長（上司）

🎧 45

（エースソリューション営業1課で、外出先から戻ってきた課長に）

ソン：お疲れさまです。課長、今、ちょっとよろしいでしょうか。

課長：いいですよ、何ですか。

ソン：ご報告なんですが、実は、朝一でミツバ商事の伊藤さんから、システムがうまく稼働しないとのクレームがありまして……

課長：稼働しないって、どういうこと？

ソン：はい、支社で入力したデータが本社のほうに反映しないということで、開発担当者に同行をお願いしてすぐ見に行ったところ、予想以上に負荷がかかったことが原因ではないかと言っているんです。とりあえず、旧システムに戻して対応してきましたが、先方は、早急に新システムに戻さないと業務が進まないということで、だいぶご立腹でして……

課長：そうでしょうね。

ソン：ええ。ですので、開発のほうとできれば今日中に対応を考えたいと思いますが……開発部長にはお時間を取っていただくようにお願いしてありますので。

課長：わかりました。

課長：緊急時だけに、迅速に対応したのはよかったよ。ただ、今後はもう少し早く報告してくれるかな。

ソン：すみません。早急に対応しなければと、そのことで頭がいっぱいだったもので…

課長：うん、それはわかるけどね。わたしの携帯に連絡くれるぐらいはできるでしょう。ミツバさんとは長いつきあいなんだから、担当レベルで済むことじゃないんだし。

ソン：はい。申し訳ありませんでした。

課長：それから、その後のことはチームで動くんだから、一人で決めないこと。必ず報告、相談だよ。

ソン：はい。以後気をつけます。本当に申し訳ありませんでした。

課長：まあ、今回は、とにかく早急に動きましょう。先方へのおわびはわたしのほうでやっとくから、ソンさんは開発とのミーティングの段取りをつけといてください。

ソン：はい、わかりました。

課題 4　会話例

みなと電機営業部の藤田さんは、取引先である北東設備工業のシュルツさんから、北東設備を通して東都セントラルに納入した、空調設備の支払い延期について電話で依頼される。その後課長に報告するが、一連の対応について注意・指示される。

立場：藤田（みなと電機・営業部担当者）　＜　課長（上司）

藤田：課長、ちょっとよろしいでしょうか。
課長：ああ、何ですか。
藤田：ご相談なんですが、実は、先ほど北東設備から、先月納入した東都セントラルビルの空調設備の支払いを、分割にしてほしいとの電話がありまして……
課長：どういうことですか。
藤田：はい、実は据え付け工事が終わった後で、約半数に欠陥があることが判明しまして。部品交換したところ、発注元の東都セントラルは納入遅延と見なして、北東設備に契約額の半分の支払いについて、2か月延期すると通知してきたということです。それで、北東設備はうちにも同様の対応を求めてきまして……相談してまた連絡すると言ったんですが、いかがいたしましょうか。
課長：うーん、それはちょっとややっこしいなぁ……
藤田：はい……とりあえず、支払い延期の通知内容を確認して検討したいと思いますが……今、北東設備からファックスが送られて来ますので。
課長：わかりました。

課長：いろいろご苦労さま。ただ、製品に欠陥があったこと、何で報告しなかったんですか。

藤田：すみません。欠陥といっても、ねじ１本の交換だったもので……

課長：まあ、事情はわかるけど。そのときにちゃんと契約上のことも先方と話し合っておけば、こんな問題は生じなかったでしょう。北東設備さんは大事なお取引先なんだし。

藤田：はい。本当に申し訳ありません。

課長：今後は異例事項はすぐ報告すること。後で何か起きると困るから、現場だけで片づけないで。

藤田：はい。これからはご報告を徹底します。

課長：ファックスが入ったらすぐ見せてください。北東設備さんにはわたしのほうから謝っとくから、藤田さんはちょっと金額が大きいんで経理に連絡しといてください。

藤田：はい。承知しました。

第8課
謝絶する

課題3

精密機械の販売会社が仕入先のメーカーに、現在開発中の新製品の独占販売契約の提案を持ちかけたが、両社で協議の結果、メーカー側が謝絶した。今日は、メーカーの谷本常務が販売会社の柴田営業本部長を訪ね、改めて謝絶のあいさつと事情説明をする。

立場：谷本（謝絶する人） ＜ 柴田（提案した人）

谷本：今日は、お忙しいところお邪魔させていただきまして申し訳ございません。

柴田：いいえ、こちらこそ。わざわざお越しいただきまして恐縮です。まあ、どうぞおかけください。

谷本：はい、では失礼します。早速ですが、このたびは新製品の独占販売契約のことで、いろいろご配慮いただきありがとうございました。大変残念ではありますが、当社にも詰めきれない部分がございまして……今回はなかったお話ということにさせていただきたく、ご説明かたがた、ご了解を賜りたいと存じましてお伺いした次第です。

柴田：いやいや、私どもとしても、ほかならぬ御社とのおつきあいの中でご提案させていただいたわけで、決して独占販売ありき、ということではありません。今後とも末長いお取引をと思っておりますので。

谷本：ありがとうございます。そうおっしゃっていただくとますます恐縮です。

🎧50

柴田：私どもは御社の技術力を高く評価しております。実際、御社の製品は世界的に見ても最高品質との評判ですしね。

谷本：いやあ、品質一筋しか取り柄がありませんので……社長以下、技術屋ばかりの職人気質の会社なものですから……

柴田：まあ、今回も私どもが開発の初期段階からご協力させていただいた経緯もあり、自信を持って扱わせていただきたいと思っておりました。

谷本：恐れ入ります。今回の件につきましては、御社からお客様のニーズや市場動向など、いろいろな情報提供をいただき本当に感謝しております。

柴田：長年のおつきあいで、御社の製品を最も理解しているのは我々だという自負もありましたので、独占販売ということになれば、御社の優れた技術力を生かし、更にいろいろなニーズを一緒に発掘できると期待したのですが……もちろん、資金的なバックアップや、御社のグローバルな販売ネットワークの拡大も加速できましたし。

谷本：いやあ、そこまでおっしゃっていただくと心苦しい限りです。

🎧51

谷本：今回の件は、もちろん御社が一番のお取引先ではございますが、正直なところ、ほかの販売会社さんとのおつきあいも無視できない事情がございまして……このあたりの調整や具体的なお取引条件は、御社とも協議させていただいたのですが……

柴田：ええ、そのことについては、御社からは大変誠意あるご検討をいただいたと聞いております。

谷本：そうですか。いや、販売会社さんの中には、昔、私どもの経営が苦しかった時期にお世話になった先もありまして……もう少し時節を見てという結論に至った次第です。私どもとしては、引き続き御社最優先の製造態勢で臨みますので。今後ともどうぞよろしくお願いいたします。

柴田：こちらこそ、よろしくお願いいたします。

谷本：製品の仕様や納品条件など、できる限りの努力はいたしますので、ご要望などございましたら、どうぞご遠慮なくお申しつけください。

柴田：かしこまりました。今日は、お忙しい中お越しいただきありがとうございました。

谷本：こちらこそ、ありがとうございました。では、失礼いたします。

課題 4　会話例

A銀行に中小企業の取引先B社から融資の申し込みがあった。渉外担当者の中村さんは取引先の社長に謝絶に出向く。

立場：中村（謝絶する人）　＜　社長（申し込んだ人）

🎧52

中村：今日は、お忙しいところお時間をちょうだいしまして申し訳ございません。

社長：ああ、わざわざお運びいただきすいません。まあ、どうぞ。

中村：はい、では失礼します。早速ですが、今日は、先日お話のあったご融資の件でお伺いしました。

社長：ちょうど連絡しようと思っていたところですよ。どうなりましたか。

中村：それが……大変申し訳ございません。今回は、ご資金の内容から、ご融資を控えさせていただきたいと存じまして……

社長：えーっ？　そもそも、おたくが借り入れの話を持ってきたんですよ。それで、いざ申し込むとなると貸せない。それはどういうことですか。

中村：はぁ……申し訳ございません。

🎧53

中村：ただ、今回のお話は、こう申し上げては何ですが、前向きなご用立てではなく、まあ赤字の補填のような性格が強いお話でしたので……私どもといたしましても、現在既にお借りいただいている残高がございますので、その上に更に、というのが難しく、審査が通らなかったものですから……

社長：うちの経営状態はよくご存知だと思いますけどね。決算書なんかもみんなそっちに出してるわけだから。

中村：ええ……お役に立てず申し訳ございません……

社長：まあ、おたくには先代の社長のときからずーっとお世話になって随分助けてもらって、今もこうして融資を受けてるわけだから、ありがたいとは思ってますがね。

中村：お言葉恐縮です。こちらこそ長年のお取引をありがたく思っております。ご融資でも、ご返済の計画が具体的に立てられるような前向きなご投資とか、仕入れや決算資金といったものでしたら、ご用立てしやすいのですが……

社長：担保には余力があったはずだけど……
中村：ええ、それはそうなんですが、担保がありさえすれば、というわけでは……ご返済の見込みがはっきりしませんと、なかなか条件的に通らないものですから…
社長：いやー、困ったなあ……
中村：申し訳ございません。銀行も担保頼りの過去の失敗に懲りておりまして……
社長：おたくの銀行の人はよくやってくれてたから…今回も頼りにしてたんですよ。
中村：申し訳ございません。

🎧54

中村：あの、今回はご融資という形ではご協力できませんが、売掛金の回収の徹底や経費の支払いの見直し、また資金繰り管理の強化など、いろいろな面でお手伝いさせていただけるのではないかと思っておりますが……
社長：ああ、その辺はまだまだ改善しなくてはいけないんだろうけど……なかなか手が回らなくてね。
中村：その辺を見直すことで、資金繰りも楽になって借り入れも減らせるかもしれませんので。是非一度ご相談させてくださいませんか。
社長：そうですね。まあ、これまで同様、引き続きよろしく頼みますよ。
中村：かしこまりました。では、ただいまの件については改めてご連絡申し上げますので、よろしくお願いします。
社長：わかりました。
中村：では、今日はこれで失礼いたします。

第9課
インタビュー・取材

課題3

ホライズン証券研究所のチャンさんは、情報収集のため某メーカー広報部長の山本さんを訪ねる。

立場：チャン(インタビューする人) ＜ 山本(インタビューされる人)

🎧55

山本：どうもお待たせしました。

チャン：いいえ。今日は、お忙しいところお時間をいただきましてありがとうございます。

山本：いえ、どういたしまして。

チャン：私、ホライズン証券研究所のチャンと申します。どうぞよろしくお願いいたします。

山本：広報部長の山本です。よろしくお願いします。まあ、どうぞおかけください。

チャン：ありがとうございます。では、失礼します。

🎧56

チャン：早速ですが、今日は、先日お電話でお話しさせていただきましたように、御社の業績と今後の事業展開についてお話を伺いたいと思いまして参りました。業績好調のポイントをぜひ教えていただきたいと思ったものですから。

山本：いやあ……まあ、業界全体が伸びてますからねぇ……

チャン：いえいえ。

🎧57

チャン：まず、連結営業利益が前年比10%増と、過去最高となった要因は何だとお考えでしょうか。

山本：そうですね、衣料雑貨などの国内販売が好調だったことに加え、海外事業が大きく伸びたことが貢献しました。振るわなかったファニチャー部門を十分カバーしてくれましたので。

チャン：そうですか。具体的にはどの地域でしょうか。

山本：ええ、何といっても米国ですね。個人消費の伸びが大きく、それが売り上げ増に直結したと思われます。

チャン：なるほど。

🎧58

チャン：業績が好調に推移している中で、不安材料などがありましたらお聞かせいただければと思いますが。

山本：そうですね、ご存知のとおり、原材料費が高騰しておりますから、その点がちょっと……上がり方が急激ですし。

チャン：確かにどこも頭を悩ませているようですね。御社ではどのような対策を取っていらっしゃるんでしょうか。

山本：そうですね、仕入先の集約による一括購入を増やしたり、長期契約やまとめ買いなど、調達手段を工夫して高騰分を吸収するように努力していますが、なかなか厳しいですね。

チャン：そうですか。いろいろやっていらっしゃるんですね。

山本：そうですね。

🎧59

チャン：販売価格への転嫁についてはどのように……

山本：まだ、はっきりしたことは申せませんが、まあ、そうしたことも視野に入れて考えざるを得ないとは思っています。

チャン：そうですか。あの、お差しつかえない範囲で結構ですので、だいたいいつ頃をお考えなのか、お聞かせいただけないでしょうか……

山本：いやいや、まだ白紙の段階ですよ。

チャン：そうですか。

🎧60

チャン：貴重なお話でした。今日は、お忙しいところお時間をいただきましてありがとうございました。

山本：いえ、どういたしまして。お役に立てれば幸いですが。

チャン：今後ともよろしくお願いいたします。では、失礼いたします。

第9課

課題 4　会話例

食品メーカー花丸食品のカーターさんは、会社からコンプライアンス（法令順守）策の強化を命じられ、その情報収集のため、同業他社のコンプライアンス部の高橋部長を訪ねる。

立場：カーター（インタビューする人）　＜　高橋（インタビューされる人）

🎧61

高橋：どうも、お待たせしてすみません。

カーター：いいえ。本日は、お忙しいところお時間をちょうだいしましてありがとうございます。

高橋：いえ、どういたしまして。

カーター：私、花丸食品のカーターと申します。どうぞよろしくお願いいたします。

高橋：コンプライアンス部、部長の高橋です。よろしくお願いします。まあ、どうぞおかけください。

カーター：ありがとうございます。では、失礼します。

🎧62

カーター：早速ですが、今日はお電話でもお話しさせていただいたとおり、御社のコンプライアンスへの対応状況についてお伺いしたいと思いまして参りました。御社がこの分野では大変進んでいらっしゃるとお聞きしたものですから。

高橋：いえ、お恥ずかしい限りです。ご存知のとおり、2年程前ですが、当社は商品の不当表示で販売停止の行政処分を受け、大変なダメージを被りましたので。

カーター：そんな中、御社はわずか2年で見事に復活を遂げられたんですから、大したものです。

高橋：いえいえ。

🎧63

カーター：それで、まず、どういったことがコンプライアンス強化の要であるとお考えでしょうか。

高橋：そうですね。何といっても、経営トップの意識とリーダーシップですね。儲けに直結する話ではなく、短期的にはむしろコストがかかることですし。

カーター：確かにそうですね。具体的に御社で重視されているのはどんなことでしょうか。

高橋：やはり、教育とチェック体制です。問題が起きないようにすることが最も大切ですから、教育は重要です。そして、多面的な監視体制を構築することです。

カーター：なるほど。

🎧64

カーター：教育はどんなふうになさっているんでしょうか。

高橋：新入社員や中堅社員、幹部社員の研修では必ず取り上げます。また、部単位で毎月具体例などを使って勉強会を実施し、当部に結果を報告させています。

カーター：そうですか。監視体制についてはどんなことをされているんでしょうか。

高橋：ええ、製造過程での各種検査、それに内部監査や外部監査を強化しました。何より重要なのは、内部の従業員の声を受け止めるチャネルをきちんと作ることです。

カーター：おっしゃるとおりですね。

🎧65

カーター：ところで、大変恐縮ですが、もしできましたら、御社のコンプライアンスに関する社内規定を拝見させていただけないかと……

高橋：いや、それは大変申し訳ございませんが、社外秘となっておりますので……

カーター：そうですか……お話にあった組織や権限の枠組みをどうルールに織り込んでいらっしゃるのかということだけでもと思ったものですから……

高橋：すみません、これといって秘密にするようなことが書いてあるわけではないんですが、一応規則なものですから……

🎧66

カーター：いえ、あつかましいことをお願いして申し訳ございませんでした。大変勉強になりました。今日は、お忙しいところお時間をいただきまして、本当にありがとうございました。

高橋：いえ、どういたしまして。お役に立つことがあれば幸いですが。

カーター：また何かありましたらよろしくお願いいたします。では、失礼いたします。

第9課

第 10 課
議論する

課題 3

三友銀行でプロジェクト推進部、ファイナンス部、市場調査部の行員が議論している。
議題：電子機器メーカー北東電子工業の海外工場建設プロジェクトへの融資の件

立場：プロジェクト推進部・チェン（提案する人） ＝ 市場調査部・本田（提案に賛成する人）
　　　＜　ファイナンス部・石井（提案に反対する人）

🎧 67

チェン：では、今日の本題に移らせていただきます。北東電子工業のインドでの工場建設の件ですが、これは、お手元の資料にもありますように、同社の価格競争力強化を図るとともに、成長力のあるアジア市場に布石を打つ大事業です。同時に、社の将来を託すものでもあります。また、雇用確保や技術移転という面からも、現地の全面的な支援が得られるということです。こうしたことから、私どもとしては、技術力に定評のある同社を引き続き支援したく、前向きに検討したいと考えています。

🎧 68

石井：総事業費は100億円ということですが……

チェン：はい、北東電子と関連会社、取引先、それに現地企業も一部出資して新会社インド北東エレクトロニクス社を設立し、そこが主体となります。資本金は25億円で、北東電子本体の持ち分は51％です。

石井：そうですか。日本の企業としては初めての進出地域だそうですが……カントリーリスクを考えると、ちょっとリスキーすぎませんか。

チェン：まあ、確かにリスクはありますが、人件費などのコスト抑制、将来的なアジア市場でのシェア確保のための先行投資といったことも含めて総合的に考えると、避けては通れない道であろうかと……

石井：それはわかりますが、北東電子としてはけっこう冒険ですよね。治安や人材、部品の安定調達、インフラ、それに為替や金利の見通し、税制など、不確定要素が多すぎるんじゃないでしょうか。

🎧69

本田：その辺のところは、お手元にあります北東電子の事前調査レポートに詳しく書かれています。まあ、おっしゃるように不確定なファクターはあるものの、現時点の判断では中長期的に期待されるメリットを勘案すると、おおむね取り得るリスクということになろうかと思いますが……

チェン：プロジェクトのキャッシュフロー予測については、お手元の資料の5ページをご覧ください。原材料費、製品価格、出荷量、金利などの前提を変えてシナリオが描かれています。中心シナリオでは8年で初期投資回収という見込みですので、財務的にはそう無理のない計画かと思います。

石井：スキームとしては、本体の出資金は自己資金で賄い、残りの75億を北東電子が銀行借り入れで調達し、新会社に融資するということですか……

チェン：そのとおりです。

🎧70

チェン：ファイナンス部としてはどんな感じでしょうか。

石井：そうですね……まあ、やるとしても、当行として丸抱えはできないので、シンジケーションを組むことも視野に入れてということになるでしょうね。持ち帰って部内で検討して、来週初めあたりにまた協議させていただきたいと思いますが……

チェン：よろしくお願いします。

石井：じゃあ、今日はそういうことで。

チェン：お疲れさまでした。

課題 4　会話例

化学品メーカー・K&Sケミカルで、社長、専務、経営企画部長が議論している。
議題：同社の大株主で主力販売先のワールド産業からの、持ち株比率を大幅に増やし筆頭株主になるという提案の件

立場：経営企画部長(提案する人) ＜ 専務(提案に賛成する人) ＜ 社長(提案に反対する人)

🎧71
部長：では、今日の本題に入らせていただきます。昨今のグローバル化、自由化された資本市場においては、国内外の企業やファンドからの敵対的買収の危険に常にさらされています。そこで、先日、主力取引先のワールド産業から提案がありました。既にお配りしてあります資料のとおり、当社が増資し、同社がそれを引き受けて持ち株比率を8％から30％に大幅に引き上げるというものです。

🎧72
社長：一気にダントツの筆頭株主になるということですか……つまり当社を実質支配するということになるわけですね。長年、独立系として地道な経営を続けてきた当社としては、いささか抵抗感を覚えるというのが従業員や取引先の率直な感情かと思いますが……

部長：はい……ただ、買収提案が出てくる前に、防止戦略として信頼できる安定株主を作っておいたほうがいいのではないかと考えます。ワールド産業なら長年の提携関係もありますし、業務実態を変えることなく資本構成を強化することができますので。

🎧73
専務：それに、グローバル化によって、今や国内同業者のみならず、全世界が当社の競争相手となっています。研究開発、設備投資、優秀な人材の確保、販売力の強化や原材料の安定確保など、どれをとっても豊富な資金力と国際的な経営戦略が不可欠です。しかし残念ながら、当社単独ではそれに対応する十分な力はございません。この弱肉強食の戦いを何としても勝ちぬかないと、会社自体の存続が危ぶまれるという状況での現実的な選択かと思いますが……

社長：客観的、一般的な状況はそのとおりで、わたしも理解しているつもりです。

しかし、皆が皆、そういった道を歩むことが果たして正解なんですかねえ……規模は大きくなくても、軸足がしっかりした変わらぬ経営という部分も大事ではないかと思うんですがね。

専務：そうですね……理念的にはそうですが、経営手法としては、経営環境に応じた柔軟さが求められるのではないでしょうか。

社長：いや、ちょっと待ってください。経営手法と言って片付けられる問題ではないでしょう。実際には、当社が創業以来培ってきた財産とも言うべき人材や技術力、そして企業文化が、ワールドの方針、経営状態などその時々の都合で何かと影響を受けることにもなりかねませんよ。築くのは大変ですが、失うのは一瞬なんです。

部長：ええ、そのことは重々承知しております。ただ、お手元の資料の3ページにもございますように、ワールドは最近、同業他社の株も買い進めております。もし同社が当社を傘下に収めなければ、競合他社にターゲットを変えるでしょう。そうなれば、当社にとって別の意味で大変な脅威になるわけですが……

社長：まあ、趣旨はわたしも全く反対ということではないし、何らかの対応は必要だと思ってますよ。

🎧74

専務：どうでしょう。一気に30％というと、ほかへの影響も懸念されますので、第一段階として15％前後の持ち株比率にして、しばらく様子を見るというのは……

社長：まあ、その程度ならほかの大株主もいることだし、ワールドへの牽制にもなるか……

部長：そうですね。ワールドの筆頭株主としての面子も立ちますね。

社長：まあ、当社の未来がかかる重要な問題だから、そのあたりのことは更に検討を加えるということにしましょうか。

部長：わかりました。では、方向性はご理解いただいたということで、持ち株比率をどの程度にするか、もう少し詰めてみたいと思いますが……よろしいでしょうか。

社長：そうだね。では、そういうことでよろしく頼みます。

部長：かしこまりました。

第11課
プレゼンテーション

課題3

コンサルタント会社トゥマロー・コンサルタントのライアンさんは、ある化粧品会社に依頼された日焼け止め商品の拡販について、関係者にスライドを使って市場調査の結果報告と提案をする。

立場：ライアン（トゥマロー・コンサルタント社員・提案する人）　＜　三浦（化粧品会社商品企画部・提案される人）

🎧75
ライアン：トゥマロー・コンサルタントのライアンでございます。御社にはいつも大変お世話になり、ありがとうございます。では、早速調査結果のご報告とご提案に入らせていただきます。時間はおよそ30分です。ご質問のほうは発表終了後ということでよろしくお願いします。

🎧76
ライアン：まず日焼け止め商品の市場の現状ですが、お手元の資料2ページのグラフ1をご覧ください。これは、日焼け止め商品と化粧品の売り上げ伸び率を表したものです。こちらからおわかりのように、化粧品全体の伸びが低迷している中、日焼け止め商品は高い伸び率を示しています。これは、紫外線の健康への悪影響が広く認知されるようになったことによるものと思われます。こうしたことから、「日焼け止め商品は女性・アウトドア・夏場が相場」といった従来の市場イメージではなくより広い客層、用途、季節に拡大しているのだという認識で臨む必要があると思います。

🎧77

ライアン：そこで、私どもは次のポイントでシェア拡大を図っていくことをご提案したいと思います。まず、多様なニーズを捕捉する商品ラインナップの構築です。顧客のニーズをいち早く読んで、商品に反映させる。そうしなければこの厳しい競争の中、シェア拡大どころかシェア確保も難しく、ジリ貧になってしまう恐れすらあります。次に、メーカー主導の積極的な商品開発です。私どもはこの日焼け止め商品のマーケットを単に成長が見込めるだけでなく、新たな市場の形成が期待できる分野だと考えています。新しいコンセプトの商品を市場に出していくことによって、拡大する需要に応えるだけでなく、潜在需要を掘り起こしていくことが重要であると考えます。それから、そのための具体的な販売戦略です。これについては最後にお話ししたいと思います。

🎧78

ライアン：それでは早速、(1)の商品ラインナップの構築についてご説明いたします。

　　　　　　　　×　　　　　×　　　　　×

ライアン：では、次に(2)のメーカー主導による積極的な商品開発について話を進めてまいりたいと思います。

　　　　　　　　×　　　　　×　　　　　×

ライアン：それでは、最後に具体的な販売戦略についてお話ししたいと思います。

🎧79

御社では今まで、5種類の日焼け止めを発売してきました。御社のネームバリューからそこそこの売り上げは確保しているものの、グラフ2のように、市場の拡大に比べて売り上げの伸びは思わしくなく、シェアは低下しています。その原因として、多様化するニーズに応える十分な商品が提供できていないこと、また、今まで散発的に発売してきたので、商品の統一感に乏しく、全体としてのイメージが弱いことが考えられます。従いまして、来春には幅広いニーズに対応した新商品をラインナップし、宣伝を強化して市場シェアを一気に拡大すべきと考えます。

第11課

🎧80

ライアン：以上、お話ししてまいりましたが、この可能性ある市場での競争を勝ちぬくためには、顧客の多様なニーズにいち早く対応した商品開発を御社自らの手によって行い、シェア拡大と同時に潜在需要を掘り起こしていくことが急務と思われます。具体的な販売戦略として、まずは来年の春をめどに、大々的に打って出るということを今一度申し上げたいと思います。ぜひともご検討をお願い申し上げます。

🎧81

ライアン：それでは、質疑応答に移らせていただきます。ご質問、ご指摘等ございましたら、お願いいたします。

三浦：よろしいでしょうか。

ライアン：どうぞ。

三浦：新たな市場形成のために、潜在需要を掘り起こすということでしたが、現在の市場でのシェアを伸ばすという考え方では不十分ということでしょうか。

ライアン：そうですね。これからは日焼け止めを含め、紫外線対策そのものが国民的関心事に広がることが予想されます。従って、よりよい効果や使い方、また画期的商品の研究開発が一層求められると思われます。

三浦：そうですか。わかりました。

ライアン：ほかに何かございますか……なければ、以上で終わらせていただきたいと思います。ありがとうございました。

課題 4　会話例

ある証券会社の本社営業推進部のワンさんは、支店の営業担当者を訪ね、来期の経営計画を踏まえた今後の営業戦略について提言する。

立場：石川（横浜支店営業課・提案される人）　＜　ワン（本社営業推進部・提案する人）

🎧 82

ワン：営業推進部のワンです。今日は、お忙しいところありがとうございます。早速ですが、来期の経営計画を踏まえた今後の営業戦略についてお話ししたいと思います。時間は約20分を予定しています。質問はその後ということでよろしくお願いします。

🎧 83

ワン：まあ、言うまでもありませんが、お金を安全に蓄え、着実に増やしていくことは、人生設計においてとても大切なことです。ここにお金と貯蓄に関する資料がありますので、まずこれを見ながら資産運用の現状についてご説明したいと思います。お手元の資料1を見ていただけますか。これは、将来の生活における経済的不安についての意識調査の結果をまとめたものです。以前に比べ、不安を抱く人が増えています。その原因は様々だと思われますが、まず、年金がきちんと給付されるのかという不安が挙げられます。また、昨今では不安定な雇用形態が増えたり、リストラもめずらしくありません。それから、グローバルな競争社会にあっては、給料も構造的にそれほど上がらないでしょう。少子化に加えて、昔と違い、子供が親の老後の面倒を見ることが期待できなくなっていることもあると思います。こうしたことから、今や多くの人にとって資産運用をどうするかということは大変大きな関心事であるわけです。では次に、資料2をご覧ください。これは、日本と欧米諸国の家計の金融資産構成を比較したものです。日本は欧米諸国と比べ預貯金の比率が高く、安全志向が強いとよく言われてきました。このグラフからもそう言えなくもありませんが……昔は預貯金がほとんどを占めていたことを考えれば、その傾向は変わりつつあります。いずれにしても、グローバル化・自己責任と言われる時代にあっては、リスクとリターンのバランスを考えながら、より幅広い運用を行っていくこと、これは現実問題として、もはや避けられないのです。もっとも運用といっても、専門知識のない一般の人が、いろいろなものに安易に手を出すのは危険です。

🎧84
ワン：そこで、投資信託をより積極的に活用していただきたいと思います。投信は、あらかじめ決められた投資対象や方針に基づいてプロが運用するものですから、一般投資家の方には利用価値がある商品です。金額も小口化され、定期定額を購入できるものもありますし、換金性も確保されています。今日はまず、現在当社で扱っている様々な投信の商品説明をいたします。これによって、知識を深め、今後の営業活動に役立てていただきたいと思います。次に、来期の目標について、それから営業戦略の順でお話ししてまいります。

🎧85
ワン：では早速、当社で現在扱っている投信についてご説明したいと思います。

× × ×

ワン：次に来期の目標について話を進めてまいりたいと思います。

× × ×

ワン：それでは、最後に来期の営業戦略についてお話ししたいと思います。実際のセールスにあたって肝に銘じていただきたいのは「情報第一」ということです。まずは、見込み客の情報収集、そして、それを有効活用できるように常にアップデートしておくことが決め手となります。つまり、お客様の所得や資産、家族の状況やライフスタイル、運用意向などを情報化し、それに応じた適切かつ具体的な提言がものを言うわけです。また、とかく販売後のフォローアップがおろそかになりがちですが、取引の展開にはとても大切なことです。皆さんにはこの点、周知徹底していただきたいと思います。

🎧86
ワン：このように、営業基盤強化には担当者一人一人が投信の商品知識を深め、お客様のニーズに応じた商品提供をしていくこと、また、店としてのきめ細かい継続的なサービス活動が不可欠であるということを繰り返し申し上げたいと思います。ぜひご理解いただいて、明日からの営業活動に生かしてください。

ワン：私のほうからは以上ですが、ご質問等ありましたらお願いします。
石川：よろしいでしょうか。
ワン：どうぞ。
石川：投信については、今までもかなり力を入れて勧誘してきましたので、更に、というのはちょっと厳しいように思うんですが……
ワン：まあ、先ほどの資料2にもありましたように、投信はまだまだ伸びる余地があるということが読み取れると思います。それに、社会人の若年層は財産形成がこれからですので、潜在ニーズをもっと掘り起こせると思いますよ。
石川：わかりました。
ワン：よろしくお願いします。ほかに何かありますか……なければこれで終わりたいと思います。お疲れさまでした。